NEW
서울대 선정
인문고전
60선

24
박은식 **한국통사**

NEW 서울대 선정 인문 고전 ㉔

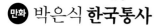

만화 박은식 한국통사

개정 1판 1쇄 발행 | 2019. 8. 21
개정 1판 2쇄 발행 | 2021. 9. 27

윤민정 글 | 김용회 그림 | 손영운 기획

발행처 김영사 | 발행인 고세규
등록번호 제 406-2003-036호 | 등록일자 1979. 5. 17.
주소 경기도 파주시 문발로 197 (우10881)
전화 마케팅부 031-955-3100 | 편집부 031-955-3113~20 | 팩스 031-955-3111

값은 표지에 있습니다.
ISBN 978-89-349-9449-7
ISBN 978-89-349-9425-1(세트)

좋은 독자가 좋은 책을 만듭니다. 김영사는 독자 여러분의 의견에 항상 귀 기울이고 있습니다.
전자우편 book@gimmyoung.com | 홈페이지 www.gimmyoungjr.com

이 도서의 국립중앙도서관 출판예정도서목록(CIP)은 서지정보유통지원시스템 홈페이지(http://seoji.nl.go.kr)와
국가자료종합목록시스템(http://www.nl.go.kr/kolisnet)에서 이용하실 수 있습니다. (CIP제어번호 : CIP2018042944)

어린이제품 안전특별법에 의한 표시사항

제품명 도서 제조년월일 2021년 9월 27일 제조사명 김영사 주소 10881 경기도 파주시 문발로 197
전화번호 031-955-3100 제조국명 대한민국 ⚠주의 책 모서리에 찍히거나 책장에 베이지 않게 조심하세요.

미래의 글로벌 리더들이 꼭 읽어야 할 인문고전을 만화로 만나다

NEW 서울대 선정 인문고전 60선

24

박은식 한국통사

윤민정 글 · 김용회 그림

주니어김영사

| 기획에 부쳐 |

〈NEW 서울대 선정 인문고전60〉이 국민 만화책이 되기를 바라며

제가 대여섯 살 때 동네 골목 어귀에 어린이들에게 만화책을 빌려주는 좌판 만화 대여소가 있었습니다. 땅바닥에 두터운 검정 비닐을 깔고 그 위에 아이들이 좋아하는 만화책을 늘어놓았는데, 1원을 내면 낡은 만화책 한 권을 빌릴 수 있었지요. 저는 그곳에서 만화책을 보면서 한글을 깨쳤고 책과의 인연을 맺었습니다.

초등학교 때는 용돈을 아껴서 책을 사서 읽었고, 중학교 때는 학교 도서 반장을 맡아 도서관에서 매일 밤 10시까지 있으면서 참 많은 책을 읽었습니다. 그 무렵 헤밍웨이의《노인과 바다》를 손에 땀을 쥐며 읽으면서 인생에 대해 고민했고, 헤르만 헤세의《수레바퀴 아래서》를 읽으며 사춘기의 심란한 마음을 달랬습니다. 김래성의《청춘 극장》을 밤새워 읽는 바람에 다음 날 치르는 중간고사를 망치기도 했습니다.

당시 저의 꿈은 아주 큰 도서관을 운영하는 사람이 되어 온종일 책을 보면서 책을 쓰는 작가가 되는 것이었습니다. 나이가 들고 어느 정도 바라는 꿈을 이루었습니다. 큰 도서관은 아니지만 적당한 크기의 서점을 운영하고, 글을 쓰는 작가가 되었거든요. 저는 여기에 새로운 꿈을 하나 더 보탰습니다. 그것은 즐거운 마음과 힘찬 꿈을 가지게 해 주고, 나아가 자기 성찰을 도와주는 좋은 만화책을 만드는 일이었습니다. 이렇게 해서 만든 책이 바로 〈서울대 선정 인문고전〉입니다. 서울대학교 교수님들이 신입생과 청소년들이 꼭 읽어야 할 책으로 추천한 도서들 중에서 따로 60권을 골라 만화로 만든 것입니다. 인류 지성사의 금자탑이라고 할 수 있는 고전을 보기 편하고 이해하기 쉽도록 만화책으로 만드는 일은 쉬운 일은 아니었습니다. 약 4년 동안에 수십 명의 학교 선생님들과 전공 학자들이 원서의 내용을 정확하게 전달할 수 있도록 밑글을 쓰고, 수십 명의 만화가들이 고민에

고민을 거듭하면서 만화를 그려 60권의 책을 만들었습니다.

〈서울대 선정 인문고전〉이 완간되었을 무렵에 우리나라에 인문학 읽기 열풍이 불기 시작했습니다. 〈서울대 선정 인문고전〉은 인문학 열풍을 널리 퍼뜨리는 데 한몫을 하면서 독자들의 뜨거운 사랑과 관심을 받았습니다. 덕분에 지금까지 수백만 권이 팔리는 베스트셀러가 되었습니다. 그 사랑에 조금이나마 보답을 하기 위해 《칸트의 실천이성 비판》, 《미셸 푸코의 지식의 고고학》, 《이이의 성학집요》 등 우리가 꼭 읽어야 할 동서양의 고전 10권을 추가하여 만화로 만들었습니다.

〈서울대 선정 인문고전〉은 어린이와 청소년이 부모님과 함께 봐도 좋을 만화책입니다. 국민 배우, 국민 가수가 있듯이 〈서울대 선정 인문고전〉이 '국민 만화책'이 되길 큰마음으로 바랍니다.

손영운

역사는 혼(魂)이다

우리는 흔히 '역사는 되풀이된다.' 는 말을 합니다. 그래서 역사는 과거의 단순한 기록이 아니라 과거의 발자취에서 '왜' 그러한 일이 일어났는지 원인과 결과를 분석해 보는 과학적인 학문이라고도 할 수 있습니다. 더 나아가 역사는 현재를 반영하고 우리의 미래 모습까지도 예측할 수 있습니다.

그 역사의 의미를 잘 알고 있었던 분이 바로 박은식 선생님입니다. 박은식 선생님의 《한국통사韓國痛史》는 아픔의 역사를 통해서 다시는 이러한 역사가 되풀이되지 않았으면 하는 바람이 담겨 있습니다. 비록 나라를 빼앗겼을지라도 그 국가의 혼魂인 역사가 살아 있다면 나라를 다시 찾을 수 있다는 굳은 의지가 담긴 책입니다. 그래서 《한국통사》는 아픔의 역사에 대한 단순한 기록이 아니라 그러한 일이 '왜' 일어났는지 원인과 결과를 분석하는 박은식 선생님의 역사관이 담긴 책입니다.

'역사관이 담긴 책' 이라는 것은 객관적이지 않은 부분이 있다는 뜻이 될 수도 있습니다. 이 책이 출판된 1915년에는 교과서로 쓰이기도 했지만 지금은 우리의 역사연구가 더 많이 이루어져서 지금 교과서의 내용과 일치하지 않는 부분도 있습니다. 박은식 선생님도 이 책을 출판하면서 《한국통사》가 정사正史를 자처하는 것이 아니라 국혼國魂이 담겨 있는 것임을 인정하여, 버려지거나 내던져지지 않기 바랄 뿐이라는 말을 했다고 합니다. 여러분도 책을 읽으면서 대원군의 등장부터 한일합병이 된 직후의 아픔의 역사에 대한 박은식 선생님의 평가가 단순히 옳다고 받아들이는 것이 아니라 아픔의 역사에 공감할 줄 알고 역사에 관심을 두는 그런 기회가 됐으면 합니다.

박은식 선생님은 민족주의역사학자이면서 독립운동가입니다. 단순한 지식인이 아니라 '실천하는 지식인' 이었지요. 이 책을 읽는 여러분도 아픔의 역사를 온몸으로 겪으면서도 나라를 소중하게 생각했던 선열들의 마음을 느끼고 감사하는 마음을 갖는 기회가 됐으면 합니다.

이 책을 쓰면서 《한국통사》의 원전을 그대로 살리고 싶었지만 부족한 부분이 있다는 생각이 듭니다. 그래도 아이들이 읽기에 어려운 《한국통사》를 쉽게 읽을 수 있는 책을 만드는 일이 의미가 있어 좋았습니다. 이런 기회를 주신 기획자 손영운 선생님과 멋진 그림 솜씨로 책을 빛내 주신 만화작가 선생님께 감사를 드립니다. 그리고 항상 무한한 애정으로 저를 격려해 주시는 부모님께도 감사를 드립니다.

윤민정

고통과 치욕의 역사를 넘어 지혜와 힘을 키우길 바라며

처음《만화 박은식 한국통사》작업을 시작할 때 대체 박은식이 누구인지 궁금했습니다. 그만큼 우리 근대사의 인물들에 무심했고 또 무식했음을 고백합니다. 인터넷에서 '박은식'이란 인물을 검색해보고는 그분이 상해 임시정부의 2대 대통령을 지냈던 독립운동가라는 사실을 알고 부끄러웠습니다. 사실 '상해 임시정부' 하면 김구 선생 등 몇 분 외에는 잘 모르고 있는 사람들이 대부분이 아닐까 합니다.

한 나라의 정통성은 그 나라의 역사로 증명됩니다. 대한민국이라는 나라의 정통성은 우리의 아버지, 할아버지 들이 살아내신 역사입니다. 대한민국 이전에 대한제국이 있었고, 대한제국은 500년을 이어온 조선왕조의 후신이며, 조선은 고려의 역성혁명국가입니다. 고려는 고구려를 이어받은 나라이며 그 이전에 발해, 고조선으로 거슬러 올라갑니다. 이렇듯 우리 선조는 시대에 따라 국가의 이름은 다르지만 이 땅 위에 뿌리를 내리고 살아온 것입니다. 그 긴 역사 중에서 가장 비참하고 고통스러웠던 때가 100여 년 전, 지금 우리 할아버지들이 겪었던 일제 식민지로 30여 년을 살아야 했던 때입니다.

박은식 선생은 생각하는 것만으로도 숨이 막혀 고통스럽고, 비참한 시대를 낱낱이 기록해 놓았습니다. 외세의 핍박보다 더 치욕스럽고 고통스러운, 같은 민족과 국가를 팔아먹은 '회색의 기회주의자' 들의 모습도 낱낱이 기록해 두었습니다. 후

손인 우리들이 그런 고통과 치욕을 다시 겪어서는 안 된다는 간절함으로 지혜와 힘을 키우라는 뜻으로 《한국통사》를 남긴 것입니다.

우리는 어린 시절부터 학교에서 독립운동에 몸 바치신 분들을 기리고 존경해야 한다고 배워왔습니다. 하지만 현실은 그렇지 않아 씁쓸할 뿐입니다. 어쩌면 우리나라는 1945년 일본으로부터 해방은 되었지만 진정한 '광복'은 맞이하지 못한 것인지도 모릅니다. 과연 대한민국의 정체성은 무엇일까요?

우리가 역사의 위인으로 생각하는 이순신, 김구, 안중근, 윤봉길, 유관순 같은 분들이 지금 우리나라의 모습을 본다면 지하에서도 통곡하고 계실지 모릅니다. 국가와 국민의 역사 인식이 얼마나 중요한지를 느끼게 해주는 일이었습니다. 학교에서 역사교육을 등한시한 대가를 지금의 씁쓸한 현실로 되돌려 받고 있는 거라 생각합니다.

《한국통사》의 아픈 역사를 그려내는 동안 저 또한 고통이었습니다. 박은식 선생은 구한말 대원군의 쓸쓸한 퇴장을 보며 '화무십일홍花無十日紅'이라고 하며, 화려해 보이는 권력도 그리 오래가지는 못 한다고 했습니다. 그런데 어찌 일제 식민지 이후 그 권력을 이어가는 대한민국의 '붉은 독화毒花'는 100년을 이어가는지 모르겠습니다. 기회주의자들이 득세하고 있는 나라에서 양심적이고 정의롭게 살아가는 국민들이 그저 자랑스럽고 존경스러울 뿐입니다.

김용회

| 차 례 |

제1장
<<한국통사(韓國痛史)>>는 어떤 책일까?
한국통사

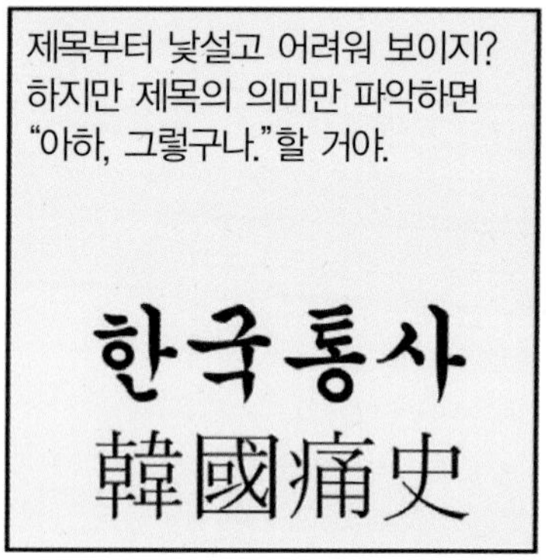
제목부터 낯설고 어려워 보이지? 하지만 제목의 의미만 파악하면 "아하, 그렇구나."할 거야.
한국통사
韓國痛史

먼저. '한국'이 우리나라라는 것은 잘 알 테고

'통사'가 무엇인지 몰라도 한문을 살펴보면 사(史)자가 있으니 역사에 관한 이야기라는 것은 알 수 있겠지?
史
눈치챘어!
서당개

우리가 잘 살펴봐야 할 것은 통(痛)자인데 '아프다, 통증을 느낀다'의 아플 통자야.
痛
아플 통!

다시 말해
《한국통사》는 우리나라의 아픈
역사에 대해 쓴 책이야.
원래 역사에 대해 말하면 통할 통(通)자를 사용해서 통사(通史)를 떠올리는데,
통사(通史)란 시대를 한정하지 않고 전 시대와 전 지역에 걸쳐
역사적 줄거리를 서술하는 양식을 말해.
그래서 통사(通史)는 내용이 방대해.
통사
물론 박은식은 《한국통사》에서 우리나라
전체의 역사에 대해서도 간단히 이야기했어.
한국통사
그런데 하고 싶은
이야기는
한국
우리나라의 아픈 역사이고, 그것에 대해 자세히
썼기 때문에 《한국통사(韓國痛史)》라고 한 거야.
역사야…
역사
절대안거
그럼 '아픈 역사'는 언제를 말할까?
1800
1900
2000
역사
임진왜란과 한국전쟁이
일어난 시기 같다고?
임진왜란은 1592년 일본이 조선을 침입해 일어난
조선과 일본의 전쟁이지.

한국전쟁은 1950년에 일어난 우리 민족 간의 전쟁이었지.
물론 역사공부를 조금만 더 하면 단순히 우리 민족 간의 전쟁이
아니라는 걸 알 거야.
그런데 박은식은 자신이 살던 시기를
제일 아픈 시기라 생각했어.
박은식
1859~1925
어떤 전쟁보다도 나라를 일본에 빼앗겼던
그 시기를 제일 아픈 시기라고 생각한 거야.
우리 스스로 힘을 키워 나라를 지킬
수도 있었는데
그 기회를 놓치고 만 시기였기
때문에 아픔으로 생각한 거야.
그래서 이 책의 주요 배경은 고종임금이 왕위에 오른 직후인 1864년부터
한일합병 직후인 1911년까지야.
고종
한일합병
'한일합병' 이란 우리나라가 일본에 나라를
빼앗긴 것을 의미해.
우리는 신민(臣民)!
이제 넌 일본의 식민(植民)!
책의 내용을 좀 더
살펴볼까?
한국통사
책은 역사적 사실을 이야기하면서
왜 이런 이야기를 하는지와
왜?
역사적 사실

우리가 어떻게 해야 하는지에 대한 주장까지 담고 있어.
처방전
태백광노 약국
자신의 주장을 담은 글을 뭐라고 하지?
논설문요!
그래. 논설문은 서론, 본론, 결론의 형식으로 구성되지.
서론 본론 결론
논설문은 서론과 결론에서 글을 쓴 목적이 나타나잖아.
목적
목적
서론 본론 결론
본론에서는 자신의 주장을 뒷받침하기 위한 객관적 사실을 이야기하지. 그래서 중요한 서론과 결론은 나중에 살펴보고 우선 《한국통사》의 본론부터 살펴보자.
본론
결론
목적
본론은 총 3편 114장으로 되었어.
제1편은 우리나라 지리에 대한 전반적인 소개와 단군왕검 때부터 고종임금이 왕위에 오르기까지의 역사를 간단히 소개하고 있어.
통사(通史)라고 할 수 있는 부분이야.
1편은 책 전체 분량에서 많이 차지하고 있지는 않아. 박은식이 말하고 싶은 것은 통사(痛史)니까.
이 아픔을 잊어선 안 돼.

제2편과 제3편이 이 책의 주요 배경인 '아픔의 역사'가 되는 거야.
분량도 1편과는 비교가 안 될 정도로 많아.
1편
2편
3편
사실 1편은 계속 서술만 되어 있어서 좀 지루한 감이 있는데,
2편과 3편은 많은 자료를 바탕으로 자세히 서술되어 있을 뿐 아니라
일어난 사건에 대한 분석과 평가까지 되어 있어.
CSI
과학수사대
아픔의 역사를 평가하면서 나라를 되찾아야 한다는 뜻이 강하게 드러나 있지.
독립
그래서 이 책이 중요한 거야.
독립!
한국통사
《한국통사》는 단순한 역사책이 아니라 역사적 사실을 통해 독립에 대한 각성을 일깨워 주는 책이야.
대한독립
그러니 이 책을 읽을 때 사람 이름이나 날짜에 너무 집착하며 읽지는 마.
이름과 날짜를 외워야 돼!
외국어 발음은 약간 다르게 해석할 수도 있고,
Bethell(한말의 영국 언론인)
: 한국어로 베셀 또는 배설(裵說)
날짜가 많이 나오는데 그중 정확하지 않은 것도 있어.
정확한 날짜를 모르겠군.

그리고 전체적으로는 시간 흐름대로 진행되지만 시간의 흐름과 순서가 바뀐 것도 있어.
또 완벽한 역사사료는 아니지만 많은 자료를 제시하고 있지. 작은 부분이지만 이런 부분이 있다는 걸 알려주는 거야.
《한국통사》가 아니면 이 시대를 잘 알 수 없었을지도 몰라.
보이고 싶지 않아!
1945년
다른 역사책들도 이 시기를 다룰 땐 박은식의 책을 참고할 정도야.
1864년부터 1911년 동안 어떤 일이….
이 책을 읽으면 아픔의 역사에 대해서는 박사가 될 거야.
다 물어 봐.
우리도 지금부터 이 책을 통해 아픔의 역사를 살펴보자고.
輔*國安民
을사 조약

*보국안민(輔國安民) – 나랏일을 돕고 백성을 편안하게 함.

아픔의 역사를 이야기한 2편, 3편 말고도 이 책은 객관적으로 쓰여 있어.
한국통사
객관성
《한국통사》 중 제1편은 진짜 통사(通史)를 살펴본다고 했지? 1편엔 먼저 우리나라의 지리에 대해 소개하고 있어.

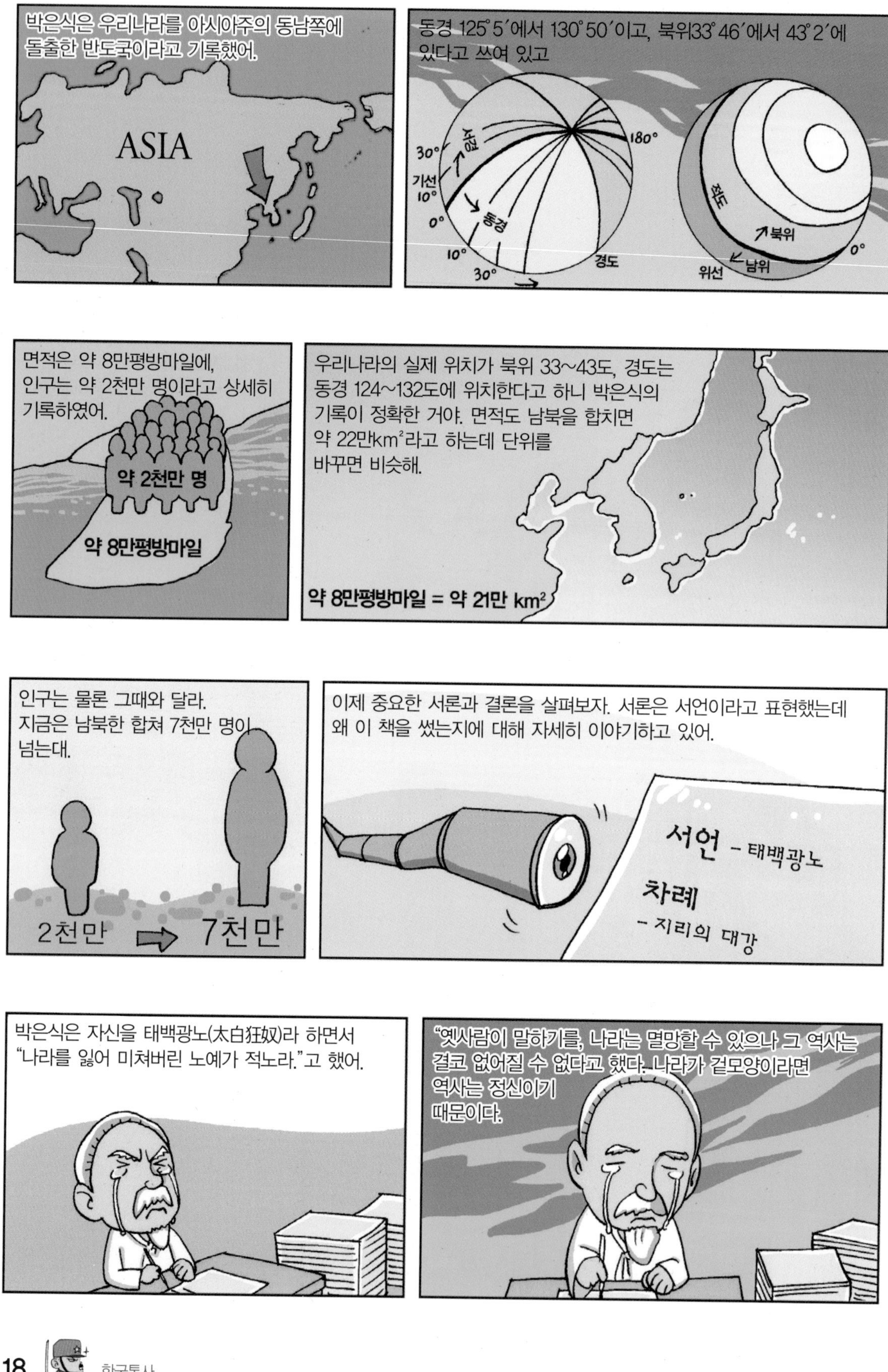

박은식은 우리나라를 아시아주의 동남쪽에 돌출한 반도국이라고 기록했어.
ASIA
동경 125° 5′에서 130° 50′이고, 북위33° 46′에서 43° 2′에 있다고 쓰여 있고
30°
서경
기선 10°
0°
동경
180°
10°
30°
경도
북위
남위
위선
0°
면적은 약 8만평방마일에, 인구는 약 2천만 명이라고 상세히 기록하였어.
약 2천만 명
약 8만평방마일
우리나라의 실제 위치가 북위 33~43도, 경도는 동경 124~132도에 위치한다고 하니 박은식의 기록이 정확한 거야. 면적도 남북을 합치면 약 22만km²라고 하는데 단위를 바꾸면 비슷해.
약 8만평방마일 = 약 21만 km²
인구는 물론 그때와 달라. 지금은 남북한 합쳐 7천만 명이 넘는대.
2천만
7천만
이제 중요한 서론과 결론을 살펴보자. 서론은 서언이라고 표현했는데 왜 이 책을 썼는지에 대해 자세히 이야기하고 있어.
서언 – 태백광노
차례 – 지리의 대강
박은식은 자신을 태백광노(太白狂奴)라 하면서 "나라를 잃어 미쳐버린 노예가 적노라."고 했어.
"옛사람이 말하기를, 나라는 멸망할 수 있으나 그 역사는 결코 없어질 수 없다고 했다. 나라가 겉모양이라면 역사는 정신이기 때문이다.

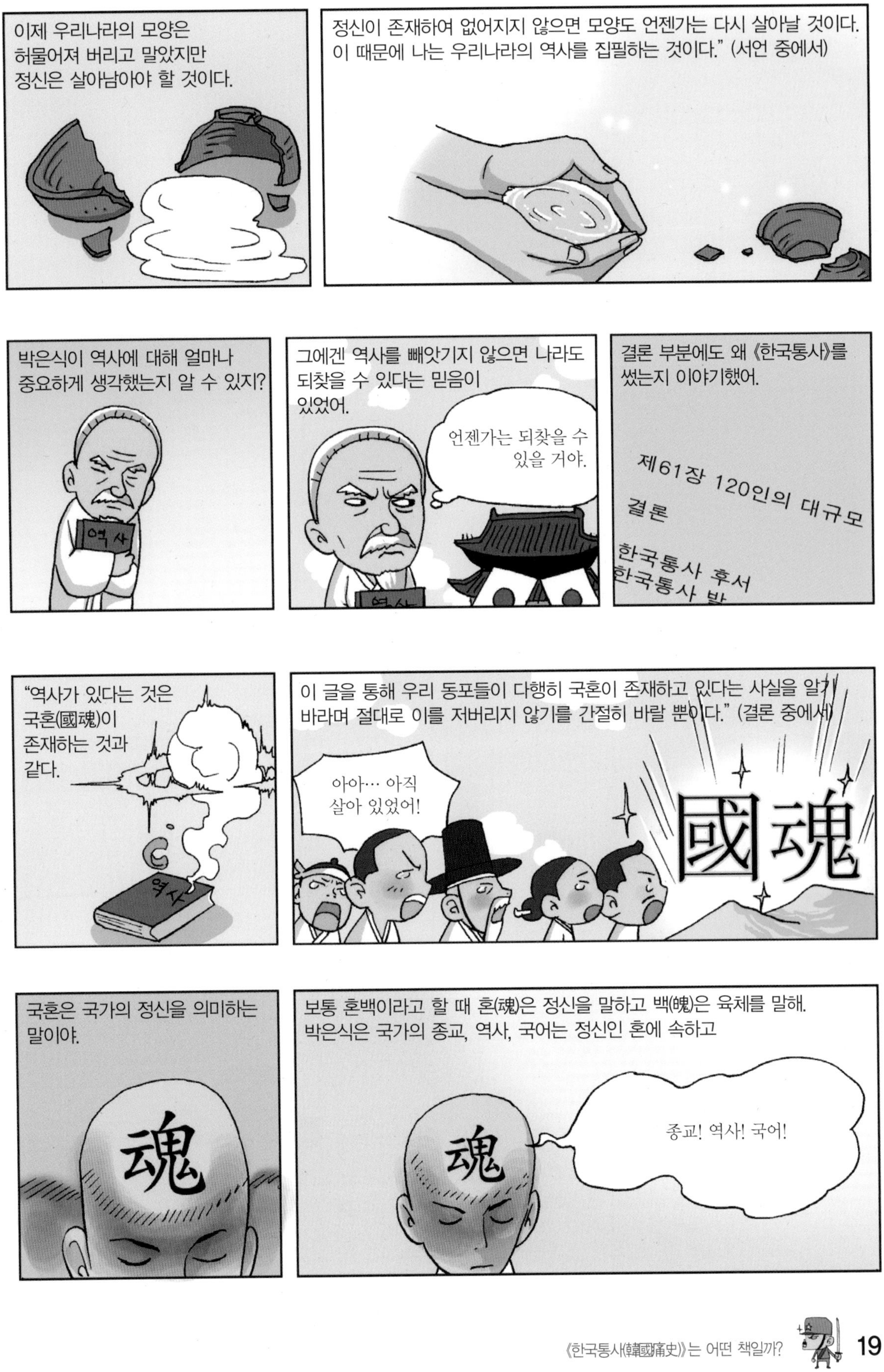
이제 우리나라의 모양은 허물어져 버리고 말았지만 정신은 살아남아야 할 것이다.
정신이 존재하여 없어지지 않으면 모양도 언젠가는 다시 살아날 것이다. 이 때문에 나는 우리나라의 역사를 집필하는 것이다." (서언 중에서)
박은식이 역사에 대해 얼마나 중요하게 생각했는지 알 수 있지?
역사
그에겐 역사를 빼앗기지 않으면 나라도 되찾을 수 있다는 믿음이 있었어.
언젠가는 되찾을 수 있을 거야.
결론 부분에도 왜 《한국통사》를 썼는지 이야기했어.
제61장 120인의 대규모
결론
한국통사 후서
한국통사 발
"역사가 있다는 것은 국혼(國魂)이 존재하는 것과 같다.
역사
이 글을 통해 우리 동포들이 다행히 국혼이 존재하고 있다는 사실을 알기 바라며 절대로 이를 저버리지 않기를 간절히 바랄 뿐이다." (결론 중에서)
아아… 아직 살아 있었어!
國魂
국혼은 국가의 정신을 의미하는 말이야.
魂
보통 혼백이라고 할 때 혼(魂)은 정신을 말하고 백(魄)은 육체를 말해. 박은식은 국가의 종교, 역사, 국어는 정신인 혼에 속하고
魂
종교! 역사! 국어!

토지, 성벽, 함선, 기계는 겉모양인 백에 속한다고 했어.
魄
정신인 역사만 살아 있다면 겉모양인 국가도 다시 살아날 수 있다고 강조했지.
할 수 있다! 난 할 수 있다!
박은식은 단순히 역사의 중요성이나 아픔을 함께 느끼자고 《한국통사》를 집필한 것이 아니야.
아이고~ 오
아이고~ 오
그가 진정으로 하고 싶은 말은 빼앗긴 나라를 다시 찾아야 한다는 거야.
곡만 한다고 나라가 찾아 진답디까!
한국통사
그러니까 이 책은 이미 말했듯이 역사책이면서도 독립에 대한 각성을 강하게 일깨워 주는 책이야.
그래! 이렇게 주저 앉을 순 없어!
이렇게 자신의 입장과 소신을 가지고 역사에 관해 말하거나 쓰는 것을 '역사관'이라고 해.
日本 근대사
日本 근대사
저건 뭐냐? 진정 우리나라의 후손이 저런 책을 냈단 말인가!
역사관이 반영되지 않고 자료 위주로 객관적으로 역사를 이야기하는 방법도 있어.
조선왕조실록
《조선왕조실록》은 집필하는 사람이 벼슬을 갖고 객관적으로 서술하잖아.
오늘 일을 사실대로만 적을 뿐.
이러한 《조선왕조실록》 같은 역사를 '정사(正史)'라고 해.
정사에서는 날짜까지 정확히 일치해!
조선왕조실록

정사만 중요할 것 같지만 그렇지 않아.
정사
야사
오히려 《한국통사》는 역사관이 담겨 있어 중요해.
역사
역사관
이 책은 우리 민족 최대의 위기를 담고 있어.
대한
민국
박은식은 이 위기가 닥친 원인을 분석하고
그것을 극복하고자 이 책을 집필한 거야.
보검을 만드는 마음으로….
당탕
우수한 우리 문화가 그동안 주체적으로 발전해 왔으며,
가
나
그래서 이 위기도 스스로 극복해 나갈 수 있다는 관점에서 이야기 하고 있어.
이러한 역사관을 '민족주의사관'이라고 해. 박은식은 민족주의사관의 창시자라고 할 수 있어.
민족주의사관
민족주의사관에 반대되는 것이 식민사관이야.
한글 쓰지 마!
조선인과 일본인의 조상은 같다! 일본이 근대화를 시켰다!
일본이 우리나라를 강제로 빼앗고 그것을 정당화하기 위해 조작해 낸 역사를 말하지.
한민족의 역사는 너무 대단해! 고쳐야 해….
신라
백제
가야
발해
고구려

식민사관에서는 단군왕검을 없었던 사람으로 부정하고
우리나라가 주권국이 아니라 중국에 속한 나라라고 하면서 우리 역사를 조작했어.
중국
중국의 속국 조선
너!
뭐라고?
을지문덕
강감찬
일본이 우리나라를 빼앗은 것이 아니고
우리나라가 문화적으로 뒤떨어져 있어 문화를 발전시키기 위해 도움을 주는 거라고 말하는 거야.
도와주는 거야.
퍽
퍽
그런데 이런 이야기를 반복해서 듣게 되면
조선을 위해~
조선을 위해~
처음에는 아니라고 생각하다가도 우리가 지배받는 것이 당연하다고 생각하게 돼.
일본은 조선의 발전에 도움을 준…
그래서 박은식은 《한국통사》라는 책을 통해 우리의 역사가 아직 살아 있음을 보여주었던 거야.
한국 통사
일본 침략의 정당성을 옹호하는 것에 대해서도 강력히 비판했어.
한국을 발전시켜 준다며 모든 것을 빼앗았다.
박은식이 《한국통사》를 완성해 발간한 때는 1915년이야.
드디어 완성!
박은식은 1859년에 태어나 1925년에 돌아가셨어.
내 삶이 아픔의 역사를 고스란히 겪었다.
자신이 목격한 역사를 시간의 간격을 거의 두지 않고 쓴 거야.
아픔의 역사를 잊기 전에 빨리 써야겠어….

역사란 과거의 이야기라고 착각하기 쉬워.
역사는 옛날 얘기?
지금 이 시간도 역사의 일부야.
하지만 시간이 지나면 내용을 잊어버리게 돼.
오늘 무슨 일이 있었지?
박은식은 우리가 역사를 잊지 않도록 하고 싶어서 책을 쓴 거야.
잊어서는 안 돼!
박은식은 나라(국백)를 빼앗겼는데
역사마저 없어져 국혼까지 빼앗겨 버리면
이제는 이런 거 배우면 안 된다.
역사 한글
나라를 영영 되찾을 수 없을까 봐 두려웠던 거야.
우리가 못하면 후세가 꼭 찾아주게!
한국통사
박은식이 이 책을 쓰게 된 일화가 있어.
내가 이 책을 쓴 이유는….
한국통사
박은식이 한 동포의 집에서 잠을 자고 있는데
신세 좀….
누추하지만 들어오세요.
그 주인의 꿈에 어떤 이가 나타나 말했대.
쿨~
지금 여기에서 자고 있는 자는 우리나라의 역사를 써야 할 소임을 가진 사람이다.
그 말을 전해 들은 박은식은
….
눈물을 흘리며 선조님들이 묵묵히 본인에게 명을 내리신 거라 생각했어.

그 전까지 박은식은 자신은 역사책을 쓰는 대업을 맡을 만한 인물이 아니라고 생각했어.
내가 어찌 그런 큰 일을….
그래서 역사책을 쓸 사람을 기다렸어.
역사책 쓸 사람 구함
그런데 그 꿈 이야기를 듣고
어르신이 역사를 기록하실 분이라고….
더 늙기 전에 자신이 해야 할 일임을 깨달은 거야.
사명
당신의 집 짊어지시오
그런데 우리 아픔의 역사를 담은 이 책은 우리나라에서 발간되지 못했어.
발행 : 상하이
지은이 : 태백광노
1910년 한일합병으로 우리나라를 빼앗은 일본은 우리를 탄압했어.
우리가 나라를 되찾으려 노력하는 것을 두려워해서
아직… 멀었어.
교육 말살과 신문 폐간으로 심하게 탄압해서
역사교육 하면 체포 한다.
한글
국내에서 독립운동을 하기가 어려웠어.
냄새만 나도 초토화!
그래서 당시의 많은 독립운동가들이 다른 나라로 망명했어.
중국
박은식도 중국으로 망명했지.
중국
그래서 《한국통사》도 망명한 상하이에서 출판되었어.
조국 땅에서 발행하지 못하고….
한국통사

발간 후 이 책은 중국과 러시아 교포들 사이에 널리 보급되었고,
미국에서도 교민들이 교과서로 사용했어.
교과서로도 손색없지.
비록 우리나라에서 발간되지는 못했지만 비밀리에 보급되었단다.
이 책을 읽으면 우리 민족뿐 아니라 다른 나라 사람들도 일본의 이중성에 대해 깨닫게 되고,
오 마이 갓!
한국통사
빼앗긴 나라를 되찾아야 한다는 의지를 다지게 돼.
부르르
이에 일본은 깜짝 놀랐어.
히엑! 이렇게나 자세히!
한국통사
위기감이 든 일본은 1916년 조선반도사 편찬위원회를 조직하여
반도역사로 만드는 거다, 알았지?
식민사관의 역사책인 《조선반도사》의 간행을 준비했어.
요건 어떻게 바꾸지?
마음이 다급해진 일본은 《조선반도사》 간행 준비를 수정하여
지금 그거 할 때가 아냐!
《조선사》 37권을 편찬했어.
어때!
조선사 1
이제 왜 《한국통사》라는 책에 관심을 갖는지 알겠지?
한국통사
《한국통사》는 속편까지 있는 책이야.
한국통사
속 한국통사

박은식은 《한국통사》를 쓰면서 《광복사(건국사)》를 마음에 두고 있었어.
한국통사
광복사
나라를 빼앗긴 울분과 아픔을 이야기하고 나라를 되찾아야 한다는 것이 《한국통사》의 결론이라고 했지?
〈결론〉
아픔을 잊지 말고
나라를 되찾자
박은식은 우리가 나라를 되찾기 위해서 어떤 일을 했는지도 쓰고 싶었어.
원래는 나라를 되찾은 뒤에 《광복사(건국사)》를 쓰려 했었어.
해방되면 《광복사》 써야지….
그러던 중 1919년에 3·1 운동이 일어난 거야.
대한독립만세!
와아~
박은식은 이제 독립이 멀지 않았다고 생각했어.
드디어….
만세!
만세!
"백 번 꺾여도 휘어지지 않고, 열 번 밟혀도 반드시 일어나 비관하지 않고, 험한 길에 걸음을 멈추지 않아서 최후의 결과는 반드시 승리하리라."라고 전망을 했지.
종국엔 이뤄낼 것이야!
그런데 일본은
우리의 3·1 운동을 세계 열강들의 힘에 기대어 독립을 얻어 보려고 하는 사대주의에서 나왔다고 왜곡했어.
사대주의 민족이다!
그래서 박은식은 《광복사》에 앞서 《한국독립운동지혈사》를 쓰기로 했어.
평화적 운동을 비아냥 거리다니….
힘으로 일본을 이겨보라는 거지?

《한국독립운동지혈사》는 책 제목 그대로 1884년 갑신정변부터 1920년 독립군의 항일무장투쟁까지의 독립운동에 관한 책이야.
특히 갑신정변 이래 발전해 온 민족 독립운동이 의병운동으로 이어지고
그 역량으로 3 · 1 운동이 일어난 것이라고 했어.
이 책은 1920년에 발간되었고 한국민족운동의 기본원전이라고 할 수 있어.
한국독립 운동지혈사
1919
1920
2.8독립선언
3.1운동 등...
박은식은 승리의 그날을 기다려 《광복사》를 쓰고 싶어했어.
나라를 되찾은 내용으로 마지막을….
1919년 박은식은 회갑을 맞이한 날 이렇게 말했어.
회갑 기념
내가 《한국통사》를 쓰고 《한국독립운동 지혈사》를 쓰고 있거니와 내가 비록 늙었다 해도 나중에 《광복사》를 쓰고 죽을 것입니다.
그러나 불행히도 박은식은 그 소원을 이루지 못했어.
독립을 보지 못하고 떠나 원통하다.
《한국통사》의 아쉬운 점은 순한문으로 쓰여 있었다는 거야.
한글을 두고 왜요?
내가 유학자 였거든.
이런 아쉬운 부분이 있지만 우리의 역사와 문화를 소중히 생각한 박은식의 마음은 우리가 반드시 알아야 해.
유관순
빼앗긴 나라를 되찾기 위해 노력한 분들의 염원을 잊어선 안 되겠지?
네!

제2장
박은식, 그는 누구인가?
원래는 박은식 선생님이라고 불러야 해.
난 학교 선생님도 했거든.
박은식이 《한국통사》를 집필했을 때의 나이가 57세이고 남아 있는 사진은 이것뿐이야.
할아버지….
박은식의 모습을 설명해 놓은 책도 있어.
그분, 나와 인연이 있지. 어떤 분이었느냐 하면….
송상도*가 쓴 《기려수필》에 따르면
기려수필
송상도
박은식은 중간 키에 광대뼈가 튀어나왔으며

***송상도**(1871~1946) – 학자, 애국지사. 《조선왕조사》 편찬을 위해 자료를 수집함. 국권피탈 후 30여 년 동안 애국지사의 행적과 사료를 모아 독립운동사 연구에 필수적 문헌인 《기려수필》을 저술함.

항상 미소 짓는 얼굴에 너그럽고 온화하며 소탈한 성품을 가졌어.
박은식은 1859년에 태어나 1925년에 돌아가셨어. 《한국통사》에서 기록된 역사는 박은식이 태어나고 자라면서 온몸으로 겪은 역사라고 할 수 있지.
1859
1863
조선 26대 왕 고종 즉위
1884
갑신정변
1894
동학 농민항쟁
1910
한일합병
1919
3 · 1 운동
1925
박은식은 황해도 황주군 남면에서 태어났어.
황해도
송림
황주
구월산
사리원
장산곶
백령도
지금은 갈 수 없는 북한 땅이지만 금강산 관광도 갈 수 있고 조금씩 통일을 위해 서로 노력하고 있으니 기다려 보자고.
금강산 찾아가자 일만이천봉~
군사분계선
금강산 육로 관광
나라를 되찾았지만 분단의 고통을 겪고 있는 것을 박은식이 본다면 너무 슬퍼할 것 같아.
중국
이 또한 무슨 비극이란 말인가?
북한
남한
그러니 우리가 계속 노력해서 꼭 통일을 이루어야겠지?
우리는 하나!
남
북
박은식의 아버지(박용호)는 서당에서 글을 가르치는 훈장님이셨어. 박은식의 할아버지가 농사를 열심히 지어 아버지는 글공부를 열심히 할 수 있었고
박은식
관직에 나가지는 않았지만 훈장이 되었던 거야.
하늘 천 ~ 따 지~

박은식의 아버지는 일찍 공부하면 오래 못 산다며 박은식을 열 살에 서당에 입학시켰대.
열 살까진 실컷 놀아라.
박은식 위로 형이 넷 있었는데 모두 일찍 세상을 떠나는 바람에
집안에서는 건강이 가장 중요했어.
큰병 난 것 아냐?
은식이 콧물난다.
그래서 박은식은 어렸을 때 집 밖으로 나가는 일이 드물었어.
위험하니까 밖에 나가지 마라.
입학은 늦었어도 글재주가 뛰어나 총명하다는 소문이 자자했어.
다 썼습니다.
서당에 입학할 무렵 지은 시가 있어.
을지문덕 장군의 뜻은 신출귀몰하고
강감찬 장군의 뜻은 하늘을 감동시켰으며
이순신 장군의 뜻은 대나무 같아라.
잘 지은 시이기도 하지만 어렸을 때부터 나라를 생각하는 마음이 남달랐음을 알 수 있지.
을지문덕
강감찬
이순신
모두 나라를 구한 장군들이네!
박은식은 서당에서 열일곱 살까지 《사서삼경》, 《제자서》 등을 공부했어.
사서 : 대학 · 논어 · 맹자 · 중용
삼경 : 시경 · 서경 · 주역
자신의 공부방에 주자의 영정을 걸어놓고 매일아침 절을 올리는 것으로 공부를 시작했다고 해.
존경합니다.
주자는 유명한 유학자로 유학을 집대성했는데 이론을 중시했지.
주자
(1130~1200)
이것을 주자학 또는 성리학이라고 해. 한편 유학에는 실천적인 면, 현실적인 면을 중시하는 양명학이 있어.
주자학(성리학)
이론중시
양명학
현실중시
박은식은 나중에 양명학으로 옮겨가.

박은식이 열일곱 살 무렵에는 황해도 해주에 사는 안태훈과 만나서 함께 문장을 겨루는 것을 즐기기도 했어.
안태훈도 어려서 신동으로 유명했는데, 그래서 이들의 문장을 보고 황해도 일대에서는 두 사람을 '해서*의 신동'이라 할 정도였대.
해서의 신동들이 나섰구먼!

*해서(海西) – 황해도

참고로 안태훈은 안중근 의사의 아버지야.
아들~ 인사해야지.
안중근** 입니다.
박은식의 스승이기도 했던 아버지가 1887년에 돌아가시자 효심이 지극했던 박은식은 결혼을 약속했던 연안 이씨와의 혼인을 미루고 삼년상을 치렀어.
혼례는 삼년상이 끝난 뒤에 합시다.
네, 그래야죠.

**안중근(1879~1910) – 독립운동가. 1909년 만주의 하얼빈 역에서 이토 히로부미를 사살하였다.

이때만 해도 남존여비가 심해서 여자의 이름이 알려진 경우는 드물어.
나는 노씨야.
….
박은식의 어머니
박은식은 관직에 나가길 바랐던 아버지가 돌아가신 뒤에는 과거공부에 매달리지 않고 여행을 다니며 다양한 학문을 배웠어.
특히 스물두 살이 되던 1880년에 경기도 광주로 가서
경기도 광주

다산 정약용***의 제자인 신기영과 정관섭 등에게서 다산의 학문을 배웠어.
어서 오시게.
박은식이라 합니다.
다산의 학문은 실학이라고 하는데, 실학이란 실제 생활에 필요한 학문, 백성을 위한 학문을 말하는 거야.
實事求是
실사구시 – 공리공론을 떠나서 정확한 고증을 바탕으로 하는 객관적인 학문 태도.

***정약용(1762~1836) – 조선 후기의 학자. 유형원과 이익 등의 실학을 계승하고 집대성하였다. 《목민심서》, 《흠흠신서》, 《경세유표》 따위의 저서가 있다.

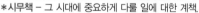

이전의 주자학이 이론에
관심 있었다면
주자학
실학은 현실에 관심을 두면서
당시 사회를 개혁하자는 학문이지.
현 실
박은식은 정약용의 학문에 관심을
기울이며
知行合一
현실문제에 관심이 깊은
양명학을 연구하며 개혁적인
사고를 키웠어.
한편 1882년 스물네 살 때 서울에 머물며 임오군란을 목격했어.
임오군란은 신식 군대인 별기군이 생기자 구식 군대의 군인들이 차별을 받아
일으킨 난이었어.
박은식은 그 수습방안인 시무책*을
지어 국왕에게 올렸지만 정부에선
이를 받지 않았어.
시무책의 내용은 지금 전해지지는 않는데, 짐작해 보면
부국강병과 외세배척에 관한 내용이었을 거야.
부국
외세

*시무책 – 그 시대에 중요하게 다룰 일에 대한 계책.

매우 실망했던 박은식은 서울을 떠나
평안북도 태천에 사는 유명한 학자인
박문일, 박문오 형제의 문하에
들어가 유학(성리학) 연구에 몰두해.
이들 형제는 위정척사파**였어.
서양사상은 모두
오랑캐의 것.

**위정척사파 – 구한말에 최익현을 중심으로 하여 대외통상을 반대하고 통상수교의 거부를 주장하던 당파.

효심이 지극했던 박은식은 어머니의 성화에 못 이겨 과거에 응시하기도 했어.
잘 보고 오너라~
1885년 과거에 합격했지만 벼슬은 쉽게 주어지지 않았어.
합격
9급 능참봉
1892년 평안도 관찰사 민병식이 박은식의 인물됨을 알아보고
오~
평안남도 중화에 있는 동명왕릉*의 책임자로 보내.
조용한 곳에서 학문에 힘쓰게.
동명왕릉
박은식은 다양한 학문을 공부해 학문이 높은 경지에 도달했어.

*동명왕릉 – 고구려의 시조 동명성왕(BC58~BC19)의 능.

그래서 서북지방은 물론 서울에까지 이름이 알려졌지.
박은식 알아?
알지.
공부를 하면서 유학도 현실변화에 능동적으로 대처하기 위한 실천성이 필요하다는 걸 깨달았어. 그래서 주자학에서 양명학으로 그리고 개화사상을 받아들이게 된 거야.
세상은 변화를 원한다!
1894년 동학농민운동**이 일어나자 난을 피해 원주에 잠깐 머물기도 했어.
와 –
동학농민운동으로 청일전쟁이 일어나는 것을 보며 외세배척과 부국강병의 중요성을 몸으로 느꼈어.
나라가 힘이 없으면 저 꼴을 당한다.

**동학농민운동 – 1894년에 전라도 고부의 동학 접주 전봉준 등을 지도자로 동학도와 농민이 합세하여 일으킨 농민운동.

1898년 지금의 서울로 오면서 어지러운 나라를 위해 많은 일을 하기 시작했는데
서울
1898년 3월에는 독립협회에 가입해 민중운동을 시작했고
독립협회
만민공동회의 간부급 지도자로도 활동했어.
만민공동회
3월 10일 만민공동회를 개최하여 열강의 이권쟁탈을 규탄하고 러시아와 일본 세력의 철수를 요구했지.
러시아와 일본은 철수하라!
옳소!
그리고 언론인으로 활동하며 애국계몽사상을 전개해 나갔어.
언론
1898년에 민족지사들과 《대한황성신문》을 인수, 《황성신문》으로 이름을 바꾸어 창간 · 보급했어.
장지연
박은식은 장지연과 함께 주필이 되었지.
주필이란 논설 쓰는 사람이야.
1905년 을사조약이 체결되었을 때는 장지연의 〈시일야방성대곡〉으로 일제의 탄압을 받게 되었어.
다 압수해.
황성신문
〈시일야방성대곡〉은 을사조약의 부당성에 대해 피눈물로 쓴 논설의 제목이야.
시일야방성대곡
(오늘에 목놓아…
이런 글을 썼던 장지연이 훗날 친일파가 되어 일제에 부역하는 글을 쓰고 술독에 빠져 살다 죽었지.
《황성신문》이 발행 중지가 되자 박은식은 영국인 베셀(Bethell)이 경영하던 《대한매일신보》의 주필이 되었어.
대한매일신보

1906년에 《황성신문》이 다시 발행되었는데 장지연은 복귀하지 못하였고 박은식이 다시 주필로 활동하며
나의 유일한 무기는 펜이야.
주필
《대한매일신보》에도 논설을 썼지.
대한매일신보
이처럼 박은식은 한일합병 후 신문이 폐간될 때까지 언론투쟁을 했어.
신문
박은식은 국권회복과 실력배양을 위해 많은 논설을 썼는데
신교육사상
실업구국사상
사회관습
개화사상
애국사상
우리 모두가 나라를 지키려면 새로운 것을 받아들이고 나라를 사랑해야 한다는 논조였어.
변화
박은식은 또 국권회복을 위해선 애국계몽사상과 의병운동을 함께 해야 한다고 했어.
《황성신문》에 박은식이 쓴 글 중 주자학을 비판한 내용도 있어.
황성신문
"주자학은 그 규모의 면밀함과 의리의 깊음 때문에…
"주자학은 그 규모의 면밀함과 의리의 깊음 때문에 세상에 퍼져 있는 여러 잘못된 가르침을 물리치는 데 공이 크지만, 언론과 학술의 자유를 막고 새로운 발명과 진취의 길을 막는다."
잘못된 가르침
주자학
언론과 학술의 자유
새로운 발명 진취의 길
또 교육의 중요성을 주장한 논설도 있어.
"교육이 흥하기를 바람…. 오직 교육이 국가의 맥을 돌이킬 수 있다. 교육을 넓혀 백성의 지혜를 발달케 하는 것이 중요하다."
오직 교육뿐!
박은식은 신문뿐 아니라 잡지도 발행하여 애국계몽운동을 했어. 1906년 4월에 조직된 대한자강회에 참여해 활동했는데
애국계몽 운동 단체야.
대한자강회

주로 기관 신문인 《대한자강회월보》의 발행활동을 했어.
대한자강회
애국적인 논설로 교육과 실업을 장려하고 민중의 정치의식을 깨우쳐 나갔지.
박은식
자주 독립을 위해
박은식은 교육발전을 위한 활동도 꾸준히 했어.
나라와 국민이 행복하려면 교육발전이 필수야!
성균관의 후신인 경학원에서 강의하고 한성사범학교에서 국민교육 담당자를 집중 육성했어.
경학원
한성사범학교
박은식은 관직보다 민족과 국가를 구할 교육에 애정을 쏟았던 거야.
관직
1906년 10월에 서우학회를 조직하고
경 서우학회 축
잘해 봅시다.
기관 신문인 《서우》의 발행을 맡았어.
서우
《서우》에서는 교육진흥과 민족교육기관으로 사립학교를 설립해야 한다고 주장했어.
민족 교유 위한 사립학교를…
1907년에는 양기탁, 안창호 등과 신민회라는 비밀단체를 만들었어.
신민회
일본의 침략에서 벗어나기 위해서는 새로운 국민 곧 신민(新民)을 길러야 한다는 뜻에서 '신민회'라고 한 거야.
新民會
박은식은 신민회에서 교육과 출판활동을 했어.
이 신민회의 방침에 따라 1908년 1월 서북인 중심의 서우학회와
서우학회

관북인 중심의 한북흥학회가 통합하여 서북학회가 창립되었어.
서북학회
서북학회장을 맡은 박은식은 사립학교 설립의 필요성을 거듭 강조했어.
서북학회
(월보)
민족의 사립학교
그 결과 서울에 서북협성학교와 오성학교가 설립되었지.
박은식은 이 두 학교의 교장을 맡아 신교육과 구국운동을 전개하고 전국에 63개의 학교를 설립했어.
서북협성학교
오성학교
개혁적인 활동을 하는 박은식은 유학도 개혁이 필요하다고 생각하며
유교
1909년 《서북학회월보》에 〈유교 구신론〉을 발표했어.
유교 구신론
박은식
유교는 이론보다 실천이 중요해!
1910년에는 《왕양명실기》 등 양명학 관련 책을 쓰기도 했어.
양명학은 유교의 실천을 중시하는 학문이지!
왕양명실기
그러다 마침내 1910년 8월
한일합병이 되면서 주권을 일본에 빼앗기고 말았어.
일본은 애국적인 신문과 잡지를 폐간시키고
폐간
대한매일신보
서북학회
역사 관련 책들을 압수하여 금서로 분류했어.
조선사

그리고 신민회 등 민족운동 세력에 대해 대대적인 탄압을 가했어.
탄압이 너무 심해 국내에서는 정치, 사회활동을 할 수 없었지.
씨를 말려라!
신민회
박은식은 사회의 선각자로서 소임을 다하지 않는 것은 옳지 않다고 생각했어.
무슨 일이든 해야 해!
그래서 중국으로 망명을 결심했어.
중국에서 독립운동을 해야겠어.
박은식이 망명을 결심한 지 얼마 안 된 1911년 3월, 부인 이씨가 죽고 말았어.
여보~
박은식은 슬픔을 삼키며 망명길에 올랐어.
망명 후 박은식은 역사책을 쓰면서 독립운동을 계속해 나갔어.
박은식은 고구려의 환도성*이 있던 서간도**로 망명했어.
발해의 영토이기도 했었지.
박은식은 민족고대발전사를 연구하기 시작했어.

＊환도성 – 고구려가 평양으로 천도하기 전의 도성.
＊＊서간도 – 백두산 부근의 만주 지방.

우리 조상의 내력을 알지 못하면 다른 민족에 동화된다.
박은식은 고구려, 발해의 유적을 조사하고 고전과 사서를 탐독하고 연구해서 많은 저서를 집필했어.
저서로 《동명성왕실기》, 《개소문전》, 《발해태조건국지》 등이 있어.
주몽
大祚榮

이렇게 고대사에 관심을 가진 이유는 우리 민족문화의 우수성을 밝히고 우리 역사가 아직 살아 있음을 보여주고 싶었기 때문이야.
후손들아! 힘을 내고 단결하라!
1912년 북경을 거쳐 한국인이 많이 살고 있던 만주와 시베리아 여러 곳을 돌아 상하이로 갔어.
베이징
상하이
그곳에서 신규식 등과 함께 동제사를 조직하고 총재를 맡아 국내의 독립운동을 이끌기도 했어.
동제사
동제사는 청년들에게 군사훈련을 시키면서 일본에 대항할 준비를 하던 곳이야.
또 박은식은 망명지에서 박달학원을 설립했어.
박달학원
박달학원은 각종 교육과 훈련으로 역사관을 세우게 한 뒤
역사
독립
상급학교나 외국으로 유학을 보내 인재를 키워내는 일을 하는 교육기관이었어.
1914년 박은식은 중국인 동지들의 요청으로 중국어 잡지인 《향강》의 편집을 맡기도 했어.
향강
당시 중국은 원세개(위안스카이)가 군림하고 있었는데
박은식은 《향강》에서 원세개의 정치를 과감하게 비판했어.
향강
결국 원세개 정부의 탄압으로 《향강》이 폐간된 후 다시 상하이로 돌아왔어.

1915년에는 망명하면서 집필을 시작했던 《한국통사》를 상하이에서 출판했어.
한국통사
그리고 《안의사중근전》도 완성해.
박은식의 호는 백암 또는 겸곡이야.
白巖
謙谷
둘 다 나야!
필명도 따로 있어.
글 쓸 때 쓰는 다른 이름!
《한국통사》의 필명은 '태백광노' 라고 했어.
太白狂奴
백두산이 있는 나라의 사람으로 나라가 망했음을 슬퍼해 미쳐 돌아다니는 노예라는 뜻이야.
나라를 잃어 부끄럽구나!
《안의사중근전》의 필명은 창해노방실이라 했어.
안중근전
滄海老紡室
광복을 위해 나라의 원수를 갚는다는 숨은 뜻을 지니고 있어.
안중근 의사의 최후가 그랬지.
또한 박은식은 '무치생' 이라는 필명을 사용하기도 했어.
나라를 잃고도 살아 있는 것이 부끄럽다는 뜻이야.
이렇게 그는 집필활동을 하면서 독립운동도 전개해 나갔어.
1915년 북경에서 '신한혁명당' 을 조직해 독립운동을 전개했고
신한혁명당
1917년 저명한 독립운동가들과 '대동단결선언' 으로 임시정부 결성을 주장했어.

1919년 박은식은 연해주에 있는 블라디보스토크 신한촌에서 3 · 1 운동을 맞이했어.
블라디보스토크
만세
만세
이때 나이가 환갑에 이르렀지만 항일투쟁에 대한 열기는 더욱 뜨거웠어.
나이는 숫자일 뿐!
그래서 대한민국 노인동맹단을 조직해.
살 만큼 살았다! 무서울 게 없다!
또 박은식이 기초를 쓰고 김치보, 박희평 등 간부 20명이 서명해 일본 정부에 보내는 경고문 〈독립요구서〉를 발표했어.
독립요구서
또 강우규(65세)* 를 국내로 밀파하여
3 · 1 운동으로 하세가와 총독이 쫓겨난 뒤 새 조선총독으로 서울에 도착한 사이토에게
서울역에서 폭탄을 투척하도록 했어.
아쉽게도 사이토는 옷만 조금 탔을 뿐 무사했고 일본인 기자 두 명만 즉사했어.
강우규는 이듬해 사형당하고 말았어.
1920년에는 상하이에서 《한국독립운동지혈사》를 완성했어.
《한국독립운동지혈사》는 말 그대로 1884~1920년의 독립투쟁사를 3 · 1 운동을 중심으로 담은 책이야.
유관
이 책은 한국 민족운동의 기본원전이라고 할 수 있어.
한국독립운동지혈사

*강우규(1855~1920) – 독립운동가.

박은식은 상해 임시정부에서
활동하기도 했어.
1921년 상해임시정부 기관 신문인
《독립신문》 주필로도 활동했어.
독립신문
獨立新
1924년 《독립신문》 사장에 취임하여
언론활동을 주도하면서 전개하고
사장 박은식
독립신문
이후 임시정부의 국무총리로
취임해 대통령 대리를 겸직하게
됐어.
제1대
대통령
이승만
그러다 1925년 3월, 제2대 대통령에 선임되어 독립운동을 지휘하게 되었어.
임시정부 제2대 대통령
임시정부는 상하이에서
독립운동을 이끈
최고의 기관이었어.
상하이
그런데 정부면 정부지 '임시정부'가
뭐냐고? 국제사회에서 인정을
받지 못해 임시정부라 부르는
거야. 이 시기의 우리에게는
나라가 없었잖아.
나라가 없는데
어떻게 인정을 해?
박은식이 대통령에 취임한 시기는
임시정부가 안팎으로 곤경을 겪던
시련기였어.
시련
시련
시련
시련
3·1 운동으로 고조되었던 국내외 독립운동이
시간이 지나면서 가라앉았고
기미만 보여도
싹을 잘라 버려.
다
쏴버려!

문화정치로 가장한 일제의 강한 탄압으로 표면활동이 위축되어 가고 있었어.
일본 말!
일본 글!
이제부터 일본 말, 일본 글자를 쓴다.
게다가 볼셰비키 혁명 이후에 대두된 공산주의 운동의 부상으로
위임통치청원
사 상
지방색
이승만
문제 있다!
분열과 갈등을 겪었어.
시 끌
시 끌
…
박은식은 분열된 독립운동을 결속시키기 위해 노력했어.
독 립
운 동
그 결과 대통령책임 지도체제를 국무령 중심으로 하는 내각책임제로 헌법을 고쳤어.
지금부터 대통령 1인 통치가 아닌 내각책임제로 갑니다.
임시정부
그리고 국무령을 선임하고 스스로 대통령을 사임하며
대통령
나는 대통령 자리에 미련이 없어.
국정에서 물러났어.
나는 임시정부의 심부름꾼이면 족한 사람이야.
애국은 조용히 실천하고 남모르게 하는 거야.
박은식의 말에 모두 감동했지.
한때 분열했던 우리가 부끄럽군.

박은식은 대통령 지위에 있을 때도 직함에 어울리지 않게 수수했어.
그래서 어떤 때에는 임시정부 청사로 들어가다가 외부인으로 오해받아
당신 뭐야?
수위에게 목덜미를 잡혀 조사당하기도 했다고 해.
괜찮대도.
병색이 깊었던 박은식은 나라의 독립을 기다려 《한국통사》와 《한국독립운동지혈사》의 맥을 잇는
콜록~ 콜록~
《광복사》를 쓰고 싶어 했어.
조국독립을 보고 꼭 쓰리라! 콜록!
하지만
그 소원을 이루지 못하고 세상을 떠났지.
박은식은 죽는 순간에도 나라를 걱정했어.
헉.
헉.
선생님….
독립이 되는 그날까지… 반드시 통일 단결해야 하오.
민족의 결속에 대한 당부를 남기고 염원하던 독립을 보지 못한 채 1925년 11월 1일, 67세로 상하이의 한 병원에서 돌아가셨어.

박은식의 유언은 《독립신문》 등 많은 신문에 실렸고
박은식 선생 타계!
독립신문
은식선생
동아일
선생 타계!
중화
상해
임시정부에서는 박은식의 공훈을 추도하여 처음으로 국장을 거행해 상하이 정안사로 공동묘지에 안장했어.
국내는 물론 중국 남경, 일본 도쿄 등지에서까지 추도식이 거행되었어.
독립운동을 이끈 민족의 큰 별이 지는 것을 모두가 안타까워했던 거야.
나라를 빼앗겨 돌아오지도 못했던 고국으로 1993년 8월 5일, 68년 만에 돌아와 국립묘지 임시정부요인 묘역에 안장되었어.
1962년 독립운동에 기여한 공을 기려 건국훈장 대통령장을 수여했지만 1945년 광복을 맞이한 것에 비하면 너무 늦었지.
국립묘지
한편 박은식의 아들인 시창은 광복군으로 활동했단다.
우리도 박은식 선생님의 뜻을 이어 후대에게 더 나은 미래를 열어주기 위해 노력해야 해.

제3장 아쉽다! 마지막 기회
- 흥선대원군의 섭정

아픈 역사의 시작이라고 했던 흥선대원군의 섭정*에 대해 먼저 살펴보자.
내가 시작이라고?

*섭정 – 군주가 직접 통치할 수 없을 때에 군주를 대신하여 나라를 다스림.

흥선대원군이 역사에 등장한 것은 1863년 철종임금이 후손 없이 승하한 뒤야.
대를 못 잇고….
전하~

조대비는 이하응의 둘째 아들 이재황에게 왕위를 잇게 해.
주상이 승하하셨으니 내가 최고 어른이야.

이재황이 바로 고종임금이 되는 거야.
전하!

고종임금이 된 이재황의 아버지가 바로 흥선군 이하응이야.
왕족들은 이름 말고 ○○군이라고 부르기도 하지.
아부지~

그리고 임금의 아버지를 높여 부르는 말이 대원군이야.
그래서 내가 바로 흥선대원군!
주상의 아버지야! 까불지 마!

흥선대원군이 등장한 시기는 외척으로 인한 세도정치와 당파싸움으로 나라가 부패해 어려운 시기였어.
나, 정조
세도정치
당파싸움
내 이후로 제대로 정치를 한 임금이 없어.
임금이 일찍 승하하면 왕비는 홀로 남아 대왕대비가 되는 거야.
그리고 어린 세자가 왕위를 이으면 대왕대비가 대리로 정치를 하게 되는데
이것을 '수렴청정'이라고 해.
어린 네가 뭘 알겠니?
어차피 내가 섭정해야 돼.
그러면 자신의 집안사람들을 관리로 등용해 세력을 만들지. 이것을 '외척'이라 하고
외삼촌! 외할아버지! 외당숙! 외외외….
이 세력을 바탕으로 정치하는 것을 '세도정치'라고 하는 거야.
김대감님은 인사 안 하시나?
이들은 백성의 이익이나 안위를 생각하지 않고 가문의 이익에만 집착했어. 당파싸움으로 당연히 나라는 부패해졌지.
줄 서요, 줄 서.
대감 한번 뵙기 힘드네….
당파싸움은 뭐냐고?
당근
파
내가 더 맛있어!
선조 때부터 정당이 노론과 소론, 남인과 북인으로 나뉘어 권력투쟁을 하는 것을 말해.
선조
난 소론.
난 노론이야.
난 남인인데
난 북인.

지금의 여당, 야당과 비슷한데,
국회의사당
지금은 생각이 다르면 당을 바꾸기도 하지. 영원한 것은 없잖아.
△△당
저 철새!
○○당
그런데 이때는 자자손손 당파로 싸우기 때문에 더욱 치열했어.
할아버지 때부터 노론!
결국 당파싸움도 가문이나 당의 이익에만 집착하게 되었고,
다 먹고 살자고 하는 일이야. 내 배가 불러야지!
나라는 부패하고 백성들의 삶은 힘들어졌지.
아이고 못 살겠다.
그래서 백성들은 정치하는 사람들을 믿지 않았고 왕실에 대한 존경심을 가질 수 없었어.
다 똑같은 놈들이야!
그래서 대원군이 정권을 잡고 가장 먼저 한 일이 왕실의 위엄을 바로잡는 일이었어.
예로부터 '군사부일체'*라 했거늘.
君師父一體
세도정치나 당파싸움의 원인이 왕권이 강하지 못하기 때문이라 생각한 거야.
이게 다 왕을 우습게 알아서 그래!
세도정치
당파싸움
그럼 왕실의 위엄을 세우기 위해 무슨 일을 했냐고?
뭘 해야 왕실이 위엄 있어 보일까?

*군사부일체 – 임금과 스승과 아버지의 은혜가 같음.

바로 경복궁을 중건하는 일이었어. 대원군은 임진왜란 때 불에 탄 경복궁을 재건해서 왕실의 위엄을 세우고 싶었던 거야.
그래! 이거야! 으리으리하잖아!
Yes! ~
하지만 시기가 안 좋았어.
왕실의 재정이 바닥났습니다.
창고가 텅 비었습니다.
대신들의 간언*도 듣지 않고 공사를 강행했는데….
뭐해! 빨리 해!
공사 도중 불이 나 모두 타버리고 말았지.
불이야~
화르르 ~
대신들은 공사를 중단해야 한다고 또다시 간언했어.
중단하여야 합니다.
하지만 대원군은 털끝만큼도 움직이지 않았어.
빨리 공사를 진행하라.
그리고 원납전이라는 강제기부금을 징수하고,
돈이 어딨다고 자꾸 세금을 내래?
원납전이라고 새로 생긴 건데.
당백전을 발행해 비용을 충당했어.
당백전은 상평통보에 비해 대여섯 배 가치밖에 안 되는 게 명목가치는 백 배야!!
戶
當
百
大
나라살림이 윤택한 때라면 왕궁수리도 할 수 있지. 하지만 어려운 시대에 하기엔 일의 순서가 틀렸어!
배고파~
왈왈

*간언 – 웃어른이나 임금에게 옳지 못하거나 잘못된 일을 고치도록 하는 말.

더구나 당백전을 만들어 화폐제도를 어지럽히고
원납전으로 백성에게 부담을 주었으니 실패한 정책이야!
맞아! 백성이 힘들면 실패야.
대원군은 또 왕권강화를 위해 외척을 배제하고 당쟁을 소멸시켰어.
외척배제
당쟁금지
인재등용에 개인의 능력이 최우선이다.
문벌
당파
그리고 당쟁의 주범인 서원을 철폐했어.
서원
폐업
서원은 중종 때 주세붕*이라는 학자가 만든 백운동 서원**이 시초야.
최초의 서원을 내가 만들었어.
주세붕
백운동 서원

*주세붕(1495~1554) – 조선 중종 · 명종 때의 문신.

**백운동 서원 – 1543년(중종 38년)에 주세붕이 경북 영주시 백운동에 세운 서원. 뒤에 소수서원으로 고쳤다.

원래 서원은 한적한 곳에서 인재를 양성하는 곳이었거든.
공자왈~
그런데 곳곳에 서원이 생기면서 본래의 목적과는 거리가 멀어졌지.
각 가문이 자기의 주장만 고집하며 분쟁을 일삼아 당쟁의 소굴이 된 거야.
우리의 이익을 위해….
그리고 횡포도 심해 백성들이 두려워하게 되었어.
우리가 누군지 알아?
퍽
으릉
그런 서원을 조금만 남기고 모두 없앴던 거야.
물론 지방양반들의 반대가 심했지.
선현을 제사하고 학업을 닦는 곳인데 보존해야 합니다.

그래도 대원군은 서원철폐를 강력하게 시행했어.
만일 백성에게 해가 된다면 공자가 만든 제도라도 용납 못할 것인데, 하물며 서원은 백성들에게 해가 되므로 공자에게 죄를 짓는 것이니 어찌 용서받을 수 있겠는가!
….

지방의 양반들은 대원군을 진시황*이라 비난했지만
진시황과 다를 게 없잖은가!
대원군
=
진시황
백성들은 기뻐했어.
속이 다 시원하다. 축배라도 들어야겠다.
박은식은 대원군의 탁월한 추진력을 볼 수 있는 것이라 평가했어.
추진력 하나는 탁월해!

* 진시황(BC259~BC210) – 중국 진나라의 제1대 황제.

대원군은 당백전을 발행해 화폐제도를 어지럽히기도 했지만
?
바닥난 왕실 재정을 개선하기 위해 노력했어.
왕실곳간
내거야
돈이 있어야 뭘 해도 할 것 아냐?
먼저 세금인 군포**를 개선했어.
죽은 사람 몫도 내.
아주 백성들 등골을 빼라.
양반, 관리 충신, 열녀 효자는 면제

** 군포 – 조선시대에, 병역을 면제하여 주는 대신으로 받아들이던 베.

양반들의 면세 특권을 폐지하고 호당 두 필씩 호포***를 거두도록 하라.
만세~
뻥
세금제도에 대한 개혁론이 이전에도 있었지만 시행되지는 못했는데 대원군은 귀천 없이 국세를 모두 부담하게 했지.
무조건 호당 두 필

*** 호포 – 고려 · 조선시대에, 집집마다 봄과 가을에 무명이나 모시 따위로 내던 세금.

왕실의 재정을 개선하기 위해 더 나아가 사창제도도 개혁했어.
흉년에 백성들에게 곡식을 빌려주는 거야.
사창제
고구려 고국천왕 때부터 시작된 이 제도는
추수 때에 이자와 함께 받는 거지.
이자
사창제
중앙 정부에서 주관하면 사창제라 하고, 지방의 촌락단위에서 주관하면 환곡제라고 생각하면 돼.
환곡
사창제
결국 같은 제도인데 시행하는 곳에 따라 이름이 다를 뿐.
이 시기에 시행된 제도는 환곡제인데….
자~ 빌려줍니다.
환곡제
환곡제가 시행되면서 원래 취지와 달리 백성들을 힘들게 했어.
빌려줄 땐 조금 빌려주고 이자는 너무 많이 받아!
창고
이자
원금
중간에서 다 떼어먹어 나라의 창고는 텅텅 비었어!
그래서 대원군은 과감하게 환곡제를 사창제로 바꾼 거야.
중앙에서 통제를 하면 중간에서 못 떼어먹지.
사창제
호포제, 사창제와 아울러 재정통일책을 실시했어.
그게 뭐냐고?
사창제
호포제
재정통일책
재정통일책이란 징수한 세금을 중앙으로 보내는 거야.
체납하면 절대 안 돼!
그러니 중앙에 비어 있던 창고도 가득 차게 되었어.
창고
이게 얼마 만이냐!
이때 재정이 십 년을 쓰고도 남을 만큼 모였지.
십 년은 끄떡없다.
하지만 백성들의 소득을 고려하지 않고
먹고 살기도 힘든데 세금만 걷냐?!
돈벌이가 있어야 세금도 내지!

산업을 장려하여 개발하지 못한 것은 대원군의 학식이 모자라기 때문일 거라 생각해.
일이 있어야 돈을 벌지.
그래서 난 한이 돼!!
마지막 기회를 놓친 한 말이야.
팡 팡
이 밖에 대원군은 복장도 검소하게 바꾸고
갓은 작게
담뱃대도 짧게
소매도 좁게
신발도 흑피로
양반들의 불법적인 횡포도 금지시켰어.
죄 없는 백성에게 벌을 주고 재산을 뺏는 건 양반이라도 안 돼!
이제 대원군의 외교정책에 대해 알아볼까?
청문회냐?
1866년 1월 러시아의 배가 통상을 요구하다 도망가는 일이 발생해.
저… 버르장머리 없는 것들.
당시 정조 때 들어왔던 천주교가 박해를 받았는데도 널리 퍼져 있었어.
천주교 신자들은 외국과 교역을 하면 포교활동이 자유로워질 거라 생각했어.
아무래도 그렇지 않겠어?
음….
그래서 대원군에게 통상을 하라고 권유했지.
외국의 문물을 받아들이는 게 좋겠습니다.
그래?

그런데 통상을 요구하던 러시아 배가 도망간 거야.
도주해 버렸습니다.
대원군은 무척 기분이 나빴어.
이런! 역시 양인들은 예의 없는 것들이군!
그리고 외국종교인 천주교와 프랑스 신부의 도움을 받으려 했던 것도 치욕스럽게 생각했어.
더구나 국제문제를 외래교의 신도들과 의논했다니… 이런 수치가….
내가 이 치욕을 당한 것도 결국 네 놈들 때문이렷다!
오우~ 지저스~
게다가 관리들도 대원군이 외세를 배격하려는 속뜻을 알고 양이(攘夷)*를 앞다투어 주장했어.
오랑캐와 통상을 해선 안 됩니다.
발을 못 들여놓게 해야 합니다.
그래서 천주교 신자를 처형하게 돼.
그때가 1866년 병인년. 그래서 '병인박해' 라고 해.
병인박해로 아홉 명의 프랑스 신부들과 수천 명의 신도들이 처형당했어.
한강변의 절두산 성지

*양이 – 외국사람을 오랑캐로 얕보고 배척함.

죽은 자가 만여 명이나 되어 시체는 산더미같이 쌓였고, 장안(서울)의 하수구는 모두 붉었다.
병인박해로 인해 그해 7월 프랑스의 로즈* 제독이 군함 세 척을 이끌고 쳐들어왔다가,
우리나라 사람을 죽이다니! 전쟁이다!

＊로즈(Roze) – 프랑스 해군 제독. 인도차이나 함대 사령관으로, 대원군 정권의 프랑스 신부 박해에 대한 배상과 통상을 요구하여 1866년 9월에 군대를 이끌고 강화도에 쳐들어와 병인양요를 일으켰다.

한강 부근을 탐사하다 한강 수비대의 습격에 패해서 돌아갔어.
와아아
어이쿠!
10월에 다시 군함 일곱 척과 전투원 2,500명을 이끌고 왔어.
으하하하! 어떠냐? 까불고 있어. 씨~
처음 도착한 곳이 물유도(지금의 작약도)였는데 강화가 점령되었던 거야.
이대로 한양(서울)까지 진격한다!
강화
이때 문수산성에서는 한성근 부대가, 정족산성에서는 양헌수 부대가 프랑스 군을 격퇴해.
문수산성
정족산성
우리는 뭐 가만히 있을 줄 알고?
이 사건을 '병인양요'라고 해.
병인양요로 인해 대원군은 더욱 기세가 등등해졌어.
거봐! 내 그럴 줄 알았어!
더구나 비슷한 시기에
뭐라고?

독일인 오페르트*가 흥선대원군의 아버지인 남연군의 묘를 도굴하는 사건까지 생겼어.
남연군지묘
이 어찌 인간이 할 짓이란 말인가?!
대원군의 외국에 대한 부정적 이미지는 더욱 굳어지고
역시 오랑캐들은….

*오페르트(Oppert) – 독일의 항해가, 상인.

배외사상**은 더 높아지게 됐어.
오랑캐들과는 상종을 말라!
문 닫아!
배외사상에 바탕을 둔 양이론을 주장하는 대원군의 화를 부추기는 사건이 또 발생하는데….
병인양요가 일어나기 직전 미국의 상선 제너럴 셔먼 호가

**배외사상 – 외국사람이나 외국의 문화, 물건, 사상 따위를 배척하고 자기 나라의 것만 존중하는 생각이나 태도.

대동강을 거슬러 올라와 통상을 요구하다가
야! 통상하사 니까!
평양군민(군인과 백성)과 충돌하여 불타 침몰한 사건이 있었어.
이를 구실로 1871년(신미년) 미국의 로저스 제독***이 군함 다섯 척을 이끌고 강화도를 공격해 왔어.
펑
쾅
강화도에 못 살겠다.

***로저스 제독(Rodgers 1819~1882) – 미국의 해군 사령관.

그러나 당시 대원군은 병인양요 이후로 국방을 강화하고 있었어.
한 번 당하지 두 번은 안 당해!
일본에서 총검을 사왔지.
대포도 만들고 강화, 인천에 포대도 만들었어.
미국함대를 광성보와 갑곶 등지에서 격퇴시켰어.
수비대장 어재연
공격하라!
펑

이 사건을 '신미양요'라고 해.
…
…
난 로저스. 넌?
난 로즈…. 너도 당했구나!
프랑스와 미국의 침공을 격퇴한 대원군은 전국 각 지방에 척화비를 세우고
척화비
서양 오랑캐가 침범함에 싸우지 않음은 화의하는 것이요, 화의를 주장함은 나라를 파는 것이다.

우리나라에 대한 자신감으로 서양과의 수교를 거부하는 쇄국정책을 한 거야.
다 필요없어! 문 꼭 닫아!
철컹

프랑스사람과 미국사람은 포교와 통상을 위해 온 것인데 그들을 죽이고 싸운 것은 잘못한 일이야.
통상을 했어야 하는데….
일본은 1868년(무진년) 메이지 유신* 이후 서양문물을 받아들였는데

*메이지 유신 – 19세기 후반 일본의 메이지 천황 때에, 에도 막부를 무너뜨리고 중앙집권 통일국가를 이루어 일본 자본주의 형성의 기점이 된 변혁의 과정.

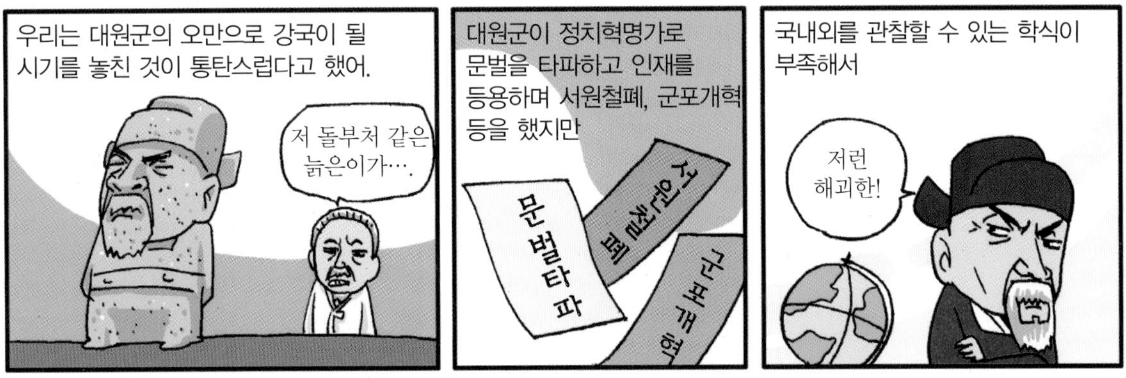
우리는 대원군의 오만으로 강국이 될 시기를 놓친 것이 통탄스럽다고 했어.
저 돌부처 같은 늙은이가….
대원군이 정치혁명가로 문벌을 타파하고 인재를 등용하며 서원철폐, 군포개혁 등을 했지만
문벌타파
서원철폐
군포개혁
국내외를 관찰할 수 있는 학식이 부족해서
저런 해괴한!

개인의 지혜에 치중하여 과격한 정치를 한 경우가 많았어.
내 말대로 해!
무리한 경복궁 중건과
내가 왕이나 마찬가지지. 뭐….
나라의 창고가 찼는데도 나라를 부강하게 만들지 못했어.
모으기만 하면 뭐해? 제대로 써야지!
더구나 외국을 배척하는 쇄국정책을 편 탓에
오지 마!
척화비
스스로 소경이 되어 마지막 기회를 놓친 거야.
악! 내 눈이 안 보여.
나라가 중흥할 중요한 시기를 잃게 된 게 참으로 원통하다.
푹!
우리의 한스러운 아픈 역사가 바로 여기서부터 시작하는 거야.
마음이 아프구나!
1863
고종 (대원군 섭정)
대원군은 10년 만에 물러나게 되는데
벌써 10년?
바로 며느리인 명성황후에 의해서야.
고종의 비인 명성황후가 세력을 키우고 있었던 거야.
그만 물러 나시지요.
언제 이렇게 컸나?
명성황후는 왕비에 책봉되자 친척을 요직에 앉혔고

민규호, 조영하 등이 대원군의 큰 아들 재면과 모의하여
고종께 친정*할 것을 권고했어.
정치에 직접 나서시는 게…
대원군의 독재를 즐거워하지 않았던 대왕대비의 지원도 있었어.
그렇게 하세요.

*친정(親政) – 임금이 직접 나라의 정사를 돌봄.

1873년 강직하기로 이름 높은 최익현**이 고종이 나라를 다스릴 만큼 성장했다며 대원군을 탄핵하자는 상소를 올렸어.
대원군은 크게 노해 최익현을 처벌하려 했지만,
뭣이! 최익현이 상소를?

**최익현(1833~1906) – 구한말의 문신, 학자, 애국지사.

고종은 최익현을 아껴서 호조참판에 임명했어.
짐이 최익현을 호조참판에 임명하노라!
결국 대원군은 10년의 세월도 무상하게 정치의 중심에서 밀려났지.

세무십년(勢無十年)이라는 말처럼
勢無十年 : 권력은 10년을 못 간다.
대원군은 정치의 뒤안길로 사라지게 돼.
세무십년이라더니….
정치

흥선대원군과 병인양요

1. 흥선대원군

▲
대원군의 영정사진
– 서울대학교 박물관 소장

흥선대원군의 섭정부터 《한국통사》가 시작되잖아. 흥선대원군이 정치무대에 등장하기 전까지의 이야기도 유명해. 안동김씨가 세도정치로 득세하고 있을 때였어. 그들은 영특하고 쓸 만한 왕손은 어떤 구실이나 트집을 잡아서라도 도륙(사람이나 짐승을 함부로 참혹하게 죽임)했어. 그래서 흥선대원군은 그들의 눈을 피하기 위해 걸식도 하고 시정의 무뢰한들과 어울려 난행을 일삼으면서 지냈다고 해. 그 결과 무식하고 미련하다는 이미지 때문에 살아남을 수 있었고, 조대비의 힘으로 둘째아들인 고종이 왕위를 계승할 수 있었던 거야. 그 당시 왕실의 최고 어른이었던 조대비도 안동김씨의 세력을 누르고 싶어 했거든. 그래서 정치무대에 등장할 수 있었던 거야.

대원군은 1873년 고종을 대신해 나라를 다스리는 것이 부당하다는 최익현의 탄핵을 받고 물러났다고 했지? 여기서 대원군의 이야기가 끝나는 것이 아니라 계속 이어질 거야. 대원군은 임오군란으로 다시 정권을 잡았으나, 명성황후의 요청으로 청나라에 붙잡혀 갔다가 3년 뒤인 1885년에 귀국했어. 다시 집권할 기회를 노리던 대원군은 1894년 동학농민운동 당시에 일본이 경복궁을 포위했을 때 잠시 4개월 정도 집권했다가 청나라에 도움을 요청하는 밀서파문으로 실격했어. 1895년에는 을미사변에 연루되어 명성황후가 살해되자 또다시 정권을 잡았어. 쇄국정책을 지향했던 대원군이 일본의 허수아비 노릇을 한 거야. 그 후 운현궁에 있다가 1898년(고종 35년)에 사망했어.

▲
남양주시에 있는 기념물 제48호 대원군묘소

《한국통사》에 등장하는 인물로 간략하게 만들어 봤어. 원래 고종황제의 부인은 명성황후와 엄귀비를 포함해서 일곱 명이야.

대원군 가계도

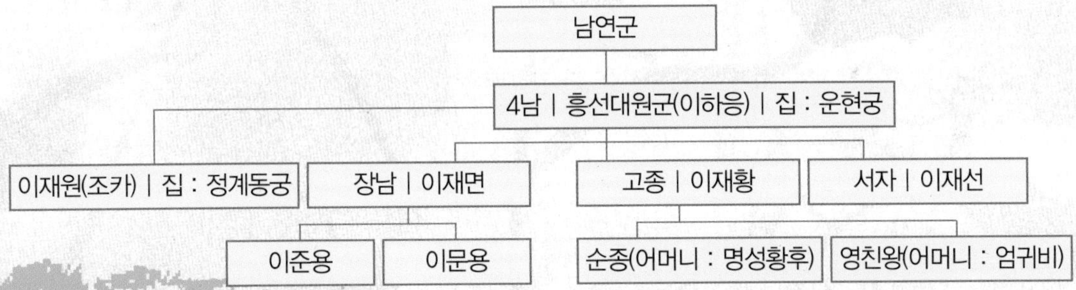

남연군
4남 | 흥선대원군(이하응) | 집 : 운현궁
이재원(조카) | 집 : 정계동궁
장남 | 이재면
고종 | 이재황
서자 | 이재선
이준용
이문용
순종(어머니 : 명성황후)
영친왕(어머니 : 엄귀비)

2. 조선의 정신을 지킨 전투, 병인양요

▲
강화부 궁전도. 가운데 건물이 외규장각

대원군이 집권하면서 많은 일들을 했다고 했지? 대원군은 외교정책으로 쇄국정책을 했다고도 했어. 강화도에는 외세에 저항한 흔적이 아직도 남아 있는데, 비행기나 고속도로가 없었던 그때는 바다와 강을 통한 뱃길이 가장 중요한 교통수단이었어. 강화도는 한강으로 통하는 길목이어서 외세의 첫 통과지점이 되었던 거야. 이렇게 해서 병인양요가 강화도에서 일어난 거였어.

병인양요(1866년) 때 프랑스 군대가 외규장각에 있던 책들을 약탈해 갔어. 프랑스가 점령한 강화읍에는 고려시대 몽고의 침입을 막기 위해 고려 왕조가 강화도로 피난했을 당시 고려의 궁궐로 사용되어서 고려궁지라 부르는 강화읍성이 있어. 외규장각은 1781년 정조 때 강화읍성 내 행궁 자리에 만들어졌는데, 일종의 도서관이야.

강화도 고려궁지에 복원한 외규장각
▼

조선은 강화읍성의 행궁에 창덕궁에 있는 규장각 도서 중에서 특별히 보존할 필요가 있는 중요한 서적 등을 보관했어. 외규장각 도서의 수는 점차 증가하여 1866년 병인양요가 일어나기 직전에는 1,042종 6,130책이

보관되어 있었다고 해.

병인양요 당시 강화읍성에 주둔하던 프랑스군은 문수산성에서 한성근 부대에게 패하고, 전등사가 있는 정족산성을 침공하였으나 양헌수 장군에게 패퇴한 후 강화도에서 철수하게 되었다고 했어. 이때 외규장각에 있던 도서 중 345권을 프랑스로 가져갔고, 철수 과정에서 외규장각에 불을 질러 외규장각 안에 보관되어 있던 나머지 수천 권의 중요 도서들은 모두 잿더미가 되었어. 약탈해 간 도서는 지금까지도 돌려받지 못하고 있단다.

정족산성에서의 승리는 프랑스군을 몰아낸 것보다 《조선왕조실록》을 지켰다는 데 더 큰 의의를 두기도 해. 정족산성은 단군의 세 아들이 성을 쌓았다고 하여 삼랑성으로 부르기도 하며 전등사를 밖에서 감싸고 있어. 전등사 대웅전 뒤쪽에 있는 삼성각에서 서쪽으로 5분만 걸어가면 정족산 사고인 장사각과 선원각이 있었지. 정족산 사고는 1678년(조선 숙종 4년)부터 《조선왕조실록》을 보관했던 장소야. 만약 정족산성에서 양헌수 부대가 승리하지 못했다면 외규장각에 있던 도서들처럼 《조선왕조실록》도 프랑스국립박물관에 보관되어 있었을 거야.

▲
《조선왕조실록》이 보관되어 있던 정족산 사고

제4장 외국의 간섭이 시작되다 – 임오군란

우린 별기군.

대원군이 물러날 무렵, 민규호*가 고종께 모든 관직을 임명할 때는
전하!
붉은 종이에 임명될 자의 관직과 성명을 친필로 써서 행정기관에 보내라고 권했어.
대원군의 독재를 막고자 한 것이었지.

*민규호(1836~1878) – 고종 때의 척신(임금과 성이 다르나 일가인 신하).

이 때문에 고종이 정치에 관심을 가지게 되면서 대원군이 물러나게 되었어.
이제부터 제가 알아서 할게요.
정치
하지만 이때부터 임금을 곁에서 모시는 자들의 충성다툼과 관리의 기강문란이 생겨나기 시작했어.
내가 더 충견이야!
아니야, 나야!
대원군에게 미움을 받았던 자들이 민씨 문하에 몰려들었고
민대감님 계신지요?
뇌물과 아첨이 끊이질 않아 망국에 이르게 됐어.
살랑
대원군을 무너뜨리려던 민규호의 계획이 나라의 운명을 해치게 된 거야.

박은식은 대원군이 쇄국정책과 배외사상으로 일관한 것이 큰 실책이라고 했는데,
….
척화비
명성황후 역시 정권을 잡고 문호를 개방했는데도 나라를 부강하게 하지 못했어.
어이고….
팍
개방 후 세계정세를 익혀야 했으나
!
옛것을 고집하고 세력과 당쟁에 몰두하여 멸망에 이르렀으니
이번에는 우리가 해 먹자.
세력
당쟁
박은식은 이것이 더 큰 잘못이라고 생각한 거야.
에라~이!
뻥
나라가 부강한 뒤에 문호를 개방하면
어서 와!
상업으로 교역문물이 수입되어 이익이 많을 것이지만,
스스로 지킬 실력도 없이 문호를 개방해 나라의 약점을 드러내면 허약한 진상이 폭로되어
뉘신지?
이거 봐라!
우리를 집어삼키려는 열강들의 야심을 부채질하고 침탈의 편익을 공급한 꼴이라는 것이었지.
헤이~ 친구. 내가 도와줄까?
우리가 도와주고 싶스므니다.
그래서 명성황후 민씨 정권의 개국정책도 패망에서 구하지 못한 거야.
조선

1875년 8월 일본 군함
운요호(운양호)가 서해를 거쳐
청나라를 향해 가던 중
조선
일본
청
먹을 물을 얻기 위해 함장 이노우에가
보트를 타고 영종성 아래로 접근했어.
물을
얻겠다는
구실로….

그런데, 우리 수비병이
이양선이 습격해 오는 것으로
잘못 판단해 포격을 하자
이양선의
내습*이다!
펑
일본 군함도 화포를 발사하여
퍼 펑
공격!
영종포대를 함락시켰어.
뭐야 이거?
별것 아니잖아!

*내습 – 습격하여 옴.

이노우에가 귀국해 본국에
이 상황을 보고하니
그랬지
뭡니까.
일본은 정한론(征韓論)**으로
들끓었고
조선을
쳐야
합니다.
한국을
침략합시다!
급기야 특파사절단이 국서를 가지고 왔어.
난 특사로 온
'구로다' 야.

**정한론 – 1870년대를 전후하여 일본 정계에서
일어났던 조선 정복에 관한 주장.

이때 대원군은 척화***를 주장했지만
발을 들이게
하면 안 돼!
우리도 대원군의
생각과 같습니다.
영의정
이최응
우의정
김병국
원로
홍순목
청나라는 화해를 권고하고
좋은 게
좋은
거다해.
조선과
일본이
전쟁을 하면
우리한테도
불똥이
튀어!

민씨 일족도 대원군을 반대하기
위해 화의를 주장했어.
무조건
반대!

***척화 – 화친하자는 논의를 배척함.

그래서 두 나라 사신이 강화도에서 회담을 하게 됐는데 서로 잘잘못을 따지느라 언쟁이 심했어.
네가 잘못했잖아!
네가 잘못했어!
그러다가 다음해 2월(1876년 병자년 고종 13년) 수호조약을 체결하는데
쾅
이것이 일본과 체결한 첫 번째 조약이야.
약속!
'병자수호조약' 또는 강화도에서 체결했다고 '강화도조약' 이라고도 하는데 정식명칭은 '조일수호조규' 야.
조일수호조규
12조항으로 된 조약의 내용을 보면, 일본의 일방적 특권이 명시된 불평등조약으로 일본에게 조선침략의 길을 마련해 주었다고 할 수 있어.
우리 잘한 건가?
순진한 것들!
내용를 보면 "조선국은 자주국가이며 일본국과 더불어 평등한 권리를 보유한다."로 시작해.
자주국?… 좋은 뜻아냐?
좋은 듯하지만… 사실은 침략하려는 의도가 보이는 거야.
조선이 정치적으로는 자유로운 자주국가이지만 중국을 오랜 시간 섬겨왔잖아.
중국과의 관계를 끊어야 일본이 침략하기 자유롭잖아.
또 부산 외에 원산과 인천을 더 개항하게 했어.
원산
인천
부산
통상업무 외에 군사적 침략의 발판을 만든 거야.

그 외에 우리나라 해안을
자유로이 측량한다거나
?
흠…
여긴
깊이가?
일본인 범죄자는 일본 관원이 심판하고
조선의 법을
지키지 않겠다는
거네?!
통상토지조약도 체결했어.
일본 자유 지역!
무관세!
양곡 무제한
유출!
이로써 군사적 침략의 발판과 경제적
침략의 발판까지 만들었지.
군사
경제
이러한 문호개방 정책의 반발로 1882년 임오년에 결국
'임오군란' 이 일어나게 돼.
군졸들이
반란을
일으켰다!
임오군란의 배경을 좀 더
자세히 살펴보자.
임
오군란
일본과 조약을 맺은 민씨 정권은
일본사람 호리모토를 초청해 신식군대
별기군을 만들어 훈련시켰어.
별
기
군
별기군엔 사대부 자제들만 들어갈 수
있었어.
저건 양반군대고
우린 상놈군대냐?
계급도 높아!
구식군대는 5군영*에서 2군영으로
축소되자 더 위기감을 느꼈어.
별기군에
군대 예산 다 쓰고….
그런데 이 시기에 분위기가 어떠했냐 하면, 궁중에서는 큰 규모로
기도를 드리는 등 미신이 충만하고

*군영 – 군대가 주둔하는 곳.

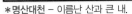

명산대천*과 신사불당에 시주하고 기도하는 일이 잦았어.
또 매일 잔치와 유흥으로 지새우고 음식과 상금으로 드는 비용이 막대하여
부어!
마셔!
대원군이 오랫동안 저축한 국고를 바닥내고 말았어.
다 어디 갔어?

*명산대천 – 이름난 산과 큰 내.

관리들의 봉급을 주지 못한 지 여러 해가 됐고
오늘 월급날 아냐?
월급? 우리가 그런 거 받았었나?
군대의 군량미가 떨어진 지 13개월에 이르렀는데도
뭘 먹어야 기운이 나지!
고위관리는 사리사욕 채우기에 여념이 없어 군졸과 백성들의 어려움은 안중에도 없었어.
대표적 인물이 선혜청 당상관 김보현, 어영대장 민겸호, 호조판서 민치상 등이었어.
댄스 작렬!
니나노~
별기군과 차별받고 봉급도 받지 못한 구식군인들은 불만이 쌓여갔어.
백성을 돌보고 군을 튼튼히 해야 할 놈들이…
구식군대를 폐지할 거라는 소문까지 나돌고 있어!
웅성
웅성
그러던 중 임오년 6월 9일 광흥창**에서 쌀을 꺼내 1개월분의 군량을 지급하는데
쌀 줄게. 모여!
민겸호의 심복인 창고지기가 농간을 부렸어. 오랫동안 봉급도 주지 않다가 겨우 준다는 쌀이 썩은 쌀에 양도 적었던 거야.
뭐야? 썩은 쌀이잖아!
그나마 양도 적게 줬어!
줄 서~

**광흥창 – 조선시대에, 호조에 속하며 관원의 녹봉에 관한 사무를 맡아보던 관아.

군졸들은 화가 나 어영대장 민겸호를 찾아가 호소했는데 오히려 질책만 당했어.
시끄럽다! 물러가거라!
결국 군졸들의 분노가 폭발해 난을 일으키게 된 거야.
제일 먼저 썩은 쌀을 나눠 준 창고지기를 살해하고
저승에나 가라!
쿠 억
무기고를 부수고 병기를 탈취하니 함성이 하늘에 진동했지! 본격적인 난이 시작된 거야.
이때 궁중에서는 연회가 한창이었는데
뭐? 군졸들이 난을?
임금이 측근을 보내 달랬지만 군졸들은 말을 듣지 않았어.
워워~ 릴랙스~
장난해!
그러자 대원군에게 도움을 청했지.
도와 주세요!
….
그러나 대원군이 보낸 이경하도 군졸들에게 협박당해 도망쳐 왔어.
너도 죽을래!
이 난에서 일본인 교관 호리모토를 죽이고 일본 공사관을 습격하여 일본사람 일곱 명을 살해했어.
일본공사 하나 부사는 공관에 불을 지르고 제물포로 탈출했어.
36계다!

또 영의정 이최응을 살해하고 궁궐로 들어가
비켜!
꺄오~
민겸호와 김보현 등을 살해하고 황후의 거처까지 난입했어.
명성황후는 겨우 충주 장호원에 있는 민응식의 집으로 피신했지.
나 좀 살려 주시게!
난이 더욱 심각해지자 고종은 대원군에게 진압을 계속 부탁했어.
제발 도와 주세요.
날 내칠 땐 언제고….
대원군이 여러 차례 철수명령을 내리자
그만들 철수하라.
그럴 수 없소!
만일 왕비가 살아 있으면 우리 모두를 처형하려 할 테니
차라리 큰일을 치르고 죽겠다!
대원군도 군졸들을 물리치기 어렵다는 생각에
씨도 안 먹히네.
거짓말로 왕비가 돌아가셨다고 했어.
그러니 너희들을 해치지 않을 것이니 물러들 가라.
하지만 반란군이 믿지 않자,
왕비가 죽었다는 말은 듣지 못했는데
믿을 수 없다!
승정원에 명하여 국장령*을 공포하였더니 비로소 반란군이 물러갔어.
승정원
국장을 공표한다.
이제 믿겠냐?
그리고 온 나라 사람들이 상복을 입었는데

*국장령 – 예전에, 나라에 큰 공훈을 남기고 죽은 사람의 장례를 국장으로 할 수 있음을 규정하던 법령.

대원군은 왕비의 시신은 난중에 찾지 못했다며 관에 옷을 넣고 장례를 치르기로 했어.
이렇게라도 해야지, 뭐….
이러한 조치가 모두 임기응변에서 나온 것이라 하지만 도리에는 어긋나는 일이야.
…

대원군이 임오군란을 제압하면서 다시 정권을 장악했어.
이 자리가 너무 그리웠어! 운현궁*에 다시 봄이 왔군.
와글 와글
대감 마님.
…
하지만 다시 찾은 정권이 오래가지는 못했어. 국장을 치른 지 한 달 가량 지났을 때,
명성황후는 피난처에서 경성(서울)으로 사람을 보내 임금과 연락하여

*운현궁 – 서울특별시 종로구 운니동에 있는 궁궐로 흥선대원군이 저택으로 쓰던 곳임.

민태호를 청나라에 밀사로 파견해서 난을 알리고 구원을 요청했어.
청(淸)
이로써 중국의 간섭이 시작되는 거야.
띵호와~
한편 임오군란으로 자국민까지 죽임을 당한 일본도 가만히 보고 있지만은 않았어.
좋은 구실이 되겠스므니다.

제물포로 탈출했던 일본공사 하나 부사가 일본으로 돌아가 정부에 보고했어.
나 죽다 살아 왔어요!
일본은 군대를 파견하려는 움직임을 보였어.
이참에 군대를 보낼까?
그러니까 임오군란을 계기로
임오군란
중국과 일본의 간섭이 본격적으로 시작된 것이지.
감 놔!
배 놔!
청은 민씨 정권의 요청대로 군대를 파견하여
임오군란의 책임자로 대원군을 청에 압송해 감으로써 일본의 무력개입 구실을 없애려 했어.
상황은 정리 됐으니까 안 와도 돼!
대원군은 10년의 섭정도 며느리에 의해 물러나게 되더니
…
다시 잡은 정권도 며느리에 의해 청나라에서 귀양살이하는 처지가 된 거야.
역시 집안엔 며느리가 잘 들어와야 해!
한편 조선은 일본의 요구로 타협과 평화를 위해 제물포에 특사를 보냈어.
대화로 풀어 봅시다.
일본사절과 협의해 제물포조약을 체결, 배상금을 물고
이런… 배상금까지 물고….
큭큭….
제물포 조약
일본공사관의 경비병 주둔을 인정했어.

또 8월에 반란을 일으킨
주동자 10여 명을
처형하였지.
박영효, 김만식, 민영익, 김옥균 등은
국서를 가지고 일본으로 갔어.
조선
일본
그리고 김옥균 등은 일본에 머물며
제도를 연구했어.
신문물을
배워야 해.
임오군란의 결과로 일본공사에
주둔하게 된 경비병이 200명이나
되었다고 해.
200명
이에 난의 진압을 요청받고
대원군을 압송해 민씨 정권이
다시 등장하도록 도와준
청나라는
우리가
수훈 갑
(甲)인데!
원세개, 황사림, 마건충 등이 병력
2,000명을 인솔해 하도감(下都監)*에
주둔했어.
2000명

*하도감 – 조선시대에, 훈련도감에 속한 분영.
별기군이 하도감에서 훈련을 받았음.

이때 군대도 청에서 지휘하는 군대를
상주시켜 중국식 훈련을 받았고
니 얼 산!
하나 둘 셋!
군의 요직도 청나라의
왕석창과 마건충이 맡게
되면서
일본의 적개심은 차츰 깊어지고
이씨~
저 청나라
놈들이….
조선에서의 세력을 되찾고 싶은 마음도 커졌어.
언젠간
먹고
말 거야!
이러한
청나라와 일본의
내정간섭이
우리나라의
내란을 부채질한
거지!

임오군란은 외국의 간섭이 더욱 심해지는 계기가 되었지만
임오군란
찬스!
군란의 발생원인은 군졸들이 급료를 받지 못하고
자그마치 13개월 동안이라고!
굶어 죽으란 거야?!
별기군이라는 신식군대와 차별대우를 한 때문이었어.
굶어 죽겠는데 차별까지….
그러니까 처음부터 내정간섭을 못하게 하려면
도와줄까?
이 정도는 나 혼자서도 할 수 있어.
우리나라의 힘이 강해져야 하는 거야.
야야! 그만 싸워!
!
그런데 대원군이 채워 놓았던 창고는 비고 외척은 세도를 부리고 부정부패가 만연하니
아주~ 설상가상! 똥 싼 데 주저앉은 꼴이구나!
난이 일어날 수밖에 없었던 거야.
못 살겠다! 갈아 보자!!
대원군은 민씨 정권보다는 잘했지만 세력쟁탈로 밀려나고,
세력쟁탈
임오군란으로 다시 정권을 잡았지만 누명을 쓰고 이역만리에서 외롭게 지내며
세상의 웃음거리가 되어서 슬픈 일이야.
슬프다! 세상의 웃음거리가 되다니!

민씨 정권은 외국과 문호개방도 했으니 세상을 알고 스스로 힘을 키우도록 노력할 수도 있었는데,
그렇게 하지 못하고 나라를 더 어렵게 만들었기에 대원군보다 죄가 훨씬 무겁다고 할 수 있어.
너희들이 더 나빠!
임오군란 이후 우리나라는 구미 열강에게도 문호를 개방하게 돼.
우리도 개방해 줘.
미국, 영국, 프랑스, 독일, 러시아, 이탈리아, 오스트리아 등이 앞다투어 조약을 맺었고
상호 공사관을 둠으로써
우리나라의 군주가 각국 원수와 대등하게 자주외교를 펴게 되었어.
문호를 개방하고 유럽의 새로운 문물을 수입하여
기계국, 박문국, 전신사 등을 설치했어.
신식무기 같은 기계를 만들어.
신문 등을 만드는 출판기관이야.
전신을 임시로 설치하는 곳이야.
기계국
박문국
전신사
외국인을 초빙해 고문을 삼기도 했는데 폐쇄적인 습관이 강해 그들이 건의하는 개선책은 거의 시행되지 않았어.
뭣 땜에 고문 자리에 앉혀 놓은 거야?
건의사항
건의사항
고문

박은식은 이런 유럽 열강과의 통상조약은 믿을 것이 못 된다고 했어.
불평등조약 이야.
임오군란이 일본, 청나라, 외국 열강까지 본격적으로 간섭하게 되는 시작점이야.
조약문 가운데 우리를 독립국으로 대우하고 독립을 존중한다는 등의 말을 하지만
좋은 거 아냐?
조 약
독립국
존중
영국은 영일동맹*을 맺으며 한국에 대한 일본의 특수한 권리를 인정하여 병합(1910년 한일합병)을 승인했고
내가 인정할게.
미국은 합병 당시 다른 나라보다 먼저 승인해서
일본 네 맘대로 해.
승 인

*영일동맹 – 1902년에 영국과 일본이 맺은 동맹협약.

우리와의 조약을 헌신짝처럼 차버렸어.
다른 나라의 침입을 받으면 서로 도와주기로 약속했잖아.
영국과 미국은 결국 우리를 이용해 일본의 환심을 산 것에 불과해.
뻥
독일과 프랑스도 자신들의 이권에 지장만 없으면 반대하지 않는다고 했어.
니들 맘대로 해.
우리 장사에 지장만 없으면….
서양 나라들은 자신의 이익 외에 우리나라의 흥망엔 관심이 없었어.
우리가 자주자립의 실력 없이 외국의 감언이설을 믿고 안심하는 것은 스스로 패망을 재촉하는 것이야!

임오군란의 숨은 이야기

▲
소총으로 무장한 별기군

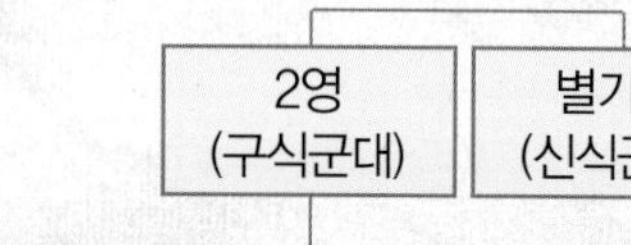
2영
(구식군대)
별기군
(신식군대)
무위영
장어영

임오군란은 구식군대를 신식군대인 별기군과 차별하는 과정에서 일어났다고 했지. 좀 더 살펴보면 문호개방의 후유증이라고 할 수 있어. 민씨 정권이 들어서면서 강화도조약(1876년 2월 27일)을 체결하고 문호를 개방했지. 그래서 일본에 수신사를 파견했어. 이 수신사 일행은 일본에 머물면서 행정부처와 경찰청, 군사 시설과 훈련, 공장, 박물관 등 여러 문물을 시찰했던 거야. 그리고 일본의 문물에 놀라게 되었지. 그래서 그들이 우리나라에 돌아왔을 때 군대개편이 일어났던 거야. 1881년 기존 군영과 달리 일본에서 들여온 최신식 소총으로 무장하고 일본인 교관에게 훈련받는 신식군대인 별기군이 창설되었던 거지. 그러면서 구식군대는 5군영에서 2군영으로 축소되었고 말이야.

그렇게 1882년 임오군란이 일어난 거야. 표면적으로는 구식군대가 별기군과 차별받고 봉급도 제대로 받지 못해 일어난 것이 임오군란이야. 그런데 임오군란을 들여다보면 서울 주변에 도시빈민도 합세를 했어. 군영이 축소되면서 실직한 군인들도 있었던 거야. 뿐만 아니라 민씨 정권이 문호개방 정책을 추진하면서 일본의 독점적인 경제침략도 감행되고 있었는데, 이로 말미암아 서울 주민의 생활 상태는 악화되었으며 주민들 사이에 개화를 반대하는 분위기가 강력하게 조성되었던 거야. 특히 일본으로 수출하는 곡물의 양이 늘어나면서, 조선에서는 식량이 부족하게 되고 곡물가가 앙등하여 물가가 두세 배 올라 생활이 더욱 궁핍해졌어. 이러한 상황에서 서울의 빈민들은 군인들의 봉기에 적극적으로 가담하게 된 거야. 임오군란은 내면적으로 보면 민씨 정권의 개화정책에 대항하는 반개화적 정치운동이라고 할 수 있어. 그래서 쇄국정책을 내세웠던 대원군이 다시 집권할 수 있었던 거야.

임오군란 당시 문호개방의 상징이자 부패한 민씨 정권의 상징이었던 명성황후가 원망의 대상이 되었어. (순종의 건강을 빈다면서 명성황후가 궁중에서 기도드리고, 금강산에서 기원제를 지냈던 것이지.) 그래서 이 기회를 잡아 재집권했던 대원군이 명성황후가 죽었다고 국장령까지 공포했다고 했지. 그때 왕비는 궁에서 도망 나와 서울의 민응식 집에 숨어 있다가 민응식의 도움으로 서울을 탈출해 왕비의 생가인 경기도 여주와 가까운 충주 장호원으로 피난을 갔어. 민응식은 이 일로 왕비의 신임을 얻어, 임오군란이 수습된 후에 요직에 기용되기도 했어.

▲
명성황후생가 – 경기도 유형문화재 제46호
(지정일 1973년 7월 10일) – 경기 여주군 여주읍 능현리

임오군란 때문에 일본과는 일본공사관이 불탄 것과 교관 호리모토 등 일본인이 죽은 것에 대한 배상금을 물고 일본공사관에 경비병이 주둔한다는 '제물포조약'(1882년 7월)이 체결되었다고 했지. 대원군을 납치해서 명성황후가 궁으로 돌아오는 데 결정적인 역할을 했던 중국은 더욱 기세가 등등해졌어. 중국이 빨리 움직일 수 있었던 것은 일본에 파견한 수신사처럼 중국에도 영선사로 가 있던 일행이 있었기 때문이야. 기세등등한 중국은 군사훈련뿐 아니라 마건상과 묄렌도르프를 고문관으로 임명하도록 하여 조선내정을 간섭하기 위한 발판을 마련했어. 마건상은 재정부문 고문관이고, 묄렌도르프는 독일인으로 중국이 추천해서 외교와 세관 업무를 담당하는 고문관이 되었어. 또 '상민수륙무역장정'(1882년 8월)을 체결하여 중국상인들이 조선으로 진출하는 길을 열었어. 이러한 중국의 경제침투는 조선상인들에게 커다란 타격을 주었지. 그래서 백성들 사이에서는 반일감정과 함께 반청감정이 크게 일었어.

태극기
▼

우리나라의 국기인 태극기의 탄생도 임오군란과 연관이 있어. 임오군란으로 7월에 '제물포조약'을 체결하고 8월에는 사후대책을 논의하기 위해 박영효 일행이 일본에 갔다고 했지. 그때, 박영효가 고베항에 입항하면서 선박에 이 태극기를 내걸어 처음 선을 보였다고 해. 국기 제작에 관심을 기울이게 된 때는 1876년 '강화도조약' 때야. 이때 일본이 국기가 필요하다고 우리 정부에 제안해

서 논의되기 시작했어. 그러면서 1880년에 수신사 김홍집이 일본에서 귀국하면서 국제관계에 국기가 필수임을 역설해 국기제작이 활발히 진행되었어. 태극기 문양은 전통적으로 있었던 것이고, 국기로 처음 선보인 사람이 박영효라고 생각하면 돼.

▲
미국을 방문한 보빙사 일행

임오군란 전후 문호개방이 가속화되었다고 했지. 세계열강들과 통상조약을 체결하고 사절단을 파견하기도 했어. 1883년에는 미국과의 수교(1882년 4월 조미수호통상조약 체결) 기념으로 사절단인 보빙사를 파견했어. 을미개혁 때 단발령 시행을 단행하는 유길준도 이 보빙사 일행이었지. 유길준은 미국에 갔다가 미국의 문물수준에 놀라서 보빙사 일행이 귀국할 때 거기에 남아서 공부를 했어. 우리나라 최초의 미국 유학생이라고 할 수 있지.

제5장 꺾이는 개화당의 의지 - 갑신정변

제5장
꺾이는 개화당의 의지
- 갑신정변
서광범
홍영식
三日天下
박영효
김옥균

1884년 갑신년에 개화당에 의해 '정변' 이 일어났는데
실패로 끝나고 말았지.
그런데, 박은식은 이 실패로 끝난 '정변' 을 몹시 애석하게 생각했어.
쯧쯧…
그 '정변' 이 왜 실패로 끝났는지, 왜 박은식이 애석하게 생각했는지 살펴보자.
일본은 우리나라에서 펼치던 자신의 힘이 줄어들자
力
그 이유가 중국(청)의 방해 때문이라고 보고 반격할 기회를 노렸어.
저 눈엣가시 같은 청나라 놈들!

임오군란 후 제물포조약 때 국서를 가지고 일본으로 갔던 김옥균 등은
조선
일본
일본 세력을 이용하여 자주독립을 이루려는 생각을 했어.
우린 친일파야!
三日天下
하지만 한일합병 때의 그 친일파랑은 의미가 달라.
이완용 등…
한일합병
한일합병 때의 친일파는 우리나라의 독립이나 민족의 미래를 생각해서가 아니라
자신의 부와 편안함을 위해 일본에 무조건 복종한 거야.
자, 먹어!
살랑~
하지만 우리는 일본을 이용해 청의 간섭을 물리치고
메이지 유신을 본받아 급진적인 개혁을 추진하려 했어!
맞아.
그래서 김옥균, 박영효, 홍영식, 서광범 등의 청년을 급진개화파 또는 개화당이라고 하는 거야.
서광범
三日天下
박영효
김옥균
이들과 달리 민태호, 조영하, 윤태준, 김윤식, 어윤중 등은 장년층으로 친청파에 속했어.
우리 나이쯤 되면 변화가 싫어져.
친청파는 민씨 정권과 결탁하여
閔氏네

청의 양무운동*을 본받아 점진적인 개혁을 추구했어.
양무운동
누가 안 한대? 천천히 하자고 천천히!
이들을 온건개화파 또는 사대당이라고 해.
중국을 섬기는 것을 사대주의라고 하잖아.
같은 때 러시아도 암암리에 세력을 펼치고 있었어.
러시아
조정희
이조연
한규직

*양무운동 – 19세기 후반에 중국 청나라에서 일어난 근대화 운동.

세 당이 분립하여 투쟁과 내분이 그치질 않더니
清
옥신
각신
개화당이 친러, 친청 두 당을 제거하고 개혁을 단행키로 했어.
결심했어!
김옥균은 1883년(계미년) 11월 다케조에 공사가 일본으로 귀국할 때 함께 일본에 갔어.
차관을 들여 올게요.
그러고는 친청파를 제거할 계획을 비밀리에 제시했지.
어떻소?
일본은 크게 기뻐하며 임오년 배상금 가운데 나머지 40만 원을 탕감하여 계획을 지원해 줬어.
일본이 잔액을 탕감해 주었습니다.
김옥균은 학도 20명을 이끌고 조선으로 귀국해 때가 오기만을 기다렸어.
때를 기다려.
드디어 1884년(갑신년) 다케조에 공사가 조선에 와서
김상, 때가 왔스므니다.

중국이 지금 베트남 문제로 프랑스와 싸우느라 조선을 간섭할 여유가 없소.
이때를 노려야 하오!
淸
김옥균을 비롯한 개화당은 매일 밤 모여 의논을 했어.
박영효
서광범
서재필
김옥균
의논 결과 일본군을 빌려 청나라 사람들을 막고 자객을 보내 친청파를 제거하기로 했어.
군대 좀.
우리가 도와줄게.
10월 17일에 우정국*이 문을 열어 대신들과 각국 공사를 초청해 연회를 열었어.
경축 우정국 개원
홍영식 등이 미리 사관생도를 궁궐(창덕궁) 앞과 경운궁에 매복시키고
자객을 우정국 앞 하수구에 잠복케 했어.
불이 나면 신호라고 했지!

*우정국 – 구한말에, 체신업무를 맡아보던 관아.

밤 열 시쯤
불이야!
민영익이 불을 끄러 밖으로 나오자 자객이 그를 찔러 부상을 입혔어.
개화당은 친청파를 모두 죽이려 했지만 성공하지 못했어.
자객이다!
민영익 한 명만 부상?
김옥균 등은 급히 궁궐로 달려갔어.
내통 중이던 고대수란 궁녀가 문을 열어 주었지.
끼익
김옥균은 고종임금에게 청나라 병사들이 난을 일으켜 피난을 가야 한다고 말하고
피하셔야 합니다.

일본공사를 불러 호위를 하심이….
아니 됐네!
불러야 하는데….
그러자 김옥균은 왕의 직인도 없는 편지를 일본 공사관에 보냈어.
할 수 없지.
일본공사는 짐을 호위하라 ……
고종임금 일행이 경운궁에 도착하자 일본군은 먼저 와 있었어.
?
다음 날 새벽 이조연 등이 청군 진영에 몰래 연락을 띄우려 하자
빨리 청에 알립시다.
김옥균이 이들을 잡아들여 살해했어.
민영목, 민태호, 조영하 등도 거짓왕명으로 불러들여 살해하고
전하께서 어인 일로?
왕의 일거수일투족을 간섭했어.
김옥균은 거짓왕명으로 정부를 개편하고
왕명으로 조직을 개편한다.
일본 유학생들로 별군을 조직해 병권과 재정을 장악했어.
좋아!
한편 청군이 하도감에 머물고 있는 것이 걱정되어
淸
하도감
박영효 등이 왕의 거처를 강화도로 옮기자고 주장했으나
다케조에 공사가 일본의 위신이 손상된다며 반대했어.
청나라가 무서워 도망간단 말이오?

그런데, 하도감이
뭐냐고?
하도감
하도감은 지금은 헐리고 없는 동대문야구장 위치에
있었던 군사훈련 시설이야.
동대문운동장
임금의 안위가 걱정되어
민심은 흉흉해졌어.
심상훈, 이봉구 등이 청군 진영에 알려 즉시 입궁해
임금을 호위해 줄 것을 요청했어.
19일에 원세개가 군대를 인솔하고 창덕궁으로 들어왔고,
우리나라의 좌우영 군사도 합류하여 따라왔어.
일본군은 저항하지 못하고 김옥균 일행은 임금을
모신 채 궁의 이곳저곳으로 피신했어.
다케조에 공사는
사태가 불리함을
느끼고
죽는다!
병사들 틈에 섞여 공사관으로
도망갔고
박영효, 김옥균, 서광범, 서재필 등도
일본군과 함께 도주했어.
머리카락 잘랐으니
모르겠지.
튀자!
홍영식, 박영교와 사관생도
일곱 명은 어가*를 따라 북관묘에
이르렀는데
원세개가 보낸 병사들이 임금을
호위하려 했어.
어가를 넘겨라.

*어가 – 임금이 타던 수레.

일행들은 임금의 옷자락을 붙들고 청군의 호의를 물리치라고 간청하다가
전부 죽음에 이르렀어.
임금 일행이 선인문* 밖에 이르자 백성들은 환호를 했어.
와
전하가 무사하시다!

*선인문 – 홍화문의 남쪽에 있는, 창경궁의 동남문.

백성들은 일본과 손잡은 갑신정변에 호응하지 않았던 거야.
이것도 갑신정변의 실패요인 중 하나야.
다음 날 임금의 거처는 청의 진영으로 옮겨졌고 갑신정변은 3일천하로 막을 내렸지.
淸
개화당
백성들은 일본사람들을 불구대천의 원수로 여겼고
왕을 납치하다니.
청군도 일본 공사관을 습격했어.
다케조에 공사는 군대를 인솔해 서소문으로 도주했어.
이때 길거리에서 함부로 총을 쏘아 백성들이 상당수 죽었어.
약
김옥균, 박영효, 서광범, 서재필 등은 일본으로 망명했어.
살았다.
처음 김옥균 등 개화파가 다케조에 공사와 모의할 때는 일본이 군함 등 병력을 파견하겠다고 약속했으나
약속은 지켜지지 않았다고 해.
군함만 왔어도….
젠장!

사건 후 조정은 친일파 가족과 거사에 가담한 이들을 처형하고 그간의 일을 정리했어.
처형한다.
갑신정변은 3일 만에 끝났다고 해서 3일천하라고 부르기도 해.
3일천하
박은식은 개화당 사건을 애석해 했어.
거사가 성공했어야 한다는 거야?
그런 게 아니고.
김옥균, 박영효, 홍영식, 서재필 등은 명문출신에 재능 있는 수재로
박영효
서광범
서재필
김옥균
임금께서도 아껴 장차 요직에서 정치를 쇄신하고 독립국가의 기초를 다지려 했었거든. 김옥균 등도 수시로 정책을 건의했다고 해.
흠….
박은식은 이런 수재들이 일본에 이용당해 크나큰 착오를 저질렀다는 사실에 애석해 했어.
일본이 조선의 운명을 위해 노력할 리가 없잖아!
일본이 진심으로 김옥균의 갑신정변의 성공을 바라지 않았다는 거야.
친청파를 제거하기가 쉽지 않네.
일본은 조선을 빼앗기 위해 매일같이 신사(神社)에 기원하는데,
신이시여 조선을 우리 손에…
우리가 개혁하고 발전하여 강해지는 것을 원할 리가 없다는 거야.
미쳤어! 개혁하면 강한 나라가 될 텐데!
당시 일본은 청나라의 우세에 억압되어 세력회복의 기회만 노리고 있었어.
그때 젊은 수재들이 청의 그늘에서 벗어나고자 한다는 것을 알게 되었지.
청에서 벗어나야 해.

일본은 이들을 이용해 청의 악감정을 도발하여 그 속에서 이익을 얻으려 했던 거야.
이러면 청과 조선의 틈이 벌어지겠지. 히힛!
갑신정변 실패 후 살아남은 청년들은 일본으로 망명했으나
김옥균
박영효
서재필
일본
김옥균은 일본이 신의가 없다는 것을 알고 상하이로 건너가 중국지사와 국사를 도모하려 했으나 암살되고
박영효는 진정한 친일파로 변절자가 되고 서재필은 독립협회를 창설했어.
이 둘의 이야기는 앞으로 할 기회가 있으니 그때 깊이 해줄게.
결국 청년 수재들이 일본에 이용당해 큰 착각을 범했던 거야. 이들은 청의 그늘을 벗어난 독립국가를 만들려는 혁명가였지만
박영효
서광범
서재필
김옥균
청의 그늘을 벗어난 자주국가를 만들고 싶었어.
나이가 어려 경험이 적고 연구가 깊지 못한데도 급히 일을 시작해 실패한 거라 했어.
혁명의 성공은 하루에 달려 있지만 그 준비는 오랜 세월이 필요한 거야.
혁명의 나무
개화당은 아무 준비 없이 성급히 일을 추진했던 거야.
번그릇…
행동이 잔혹하여 임금의 신임도, 관료의 지지도, 민심도 얻지 못했지.
사방에 적이 생기니 성공할 수가 없었던 거야.
적
적
박은식은 혁명이란 천하의 온갖 어려움을 각오해야 하는 것이므로
체게바라
당연하지! 장난 아냐!
오로지 자신의 힘으로 시작해야 하며 남의 도움과 간섭을 받아선 안 된다고 했어.
혁명
혁명은 자주적으로!

혁명이 남의 힘을 빌린다면 비록 성공한다 해도
그들의 간섭과 요구를 감당할 수 없을 것이라 했어. 독립도 자력으로 쟁취해야 튼튼하게 오래가는 거야.
나도 반만 줘!
그럼 난?
반 줘!
남의 힘으로 얻은 독립은 이름뿐, 오래가지 못하지.
스스로의 힘으로!
에너지 왕
박은식은 이번 일로 나라의 앞날이 어두워지는 것을 애석해 했어.
앞으로 어찌 될고…
고종임금은 정변을 겪은 뒤 개화시책을 건의하는 것을 증오했어.
뭣이라? 개화!
임오군란으로 대원군과 가까웠던 자들은 배척되고
대원군 측
갑신정변으로 개화당에 속한 자들은 모두 제거되니
개화당
남은 자들은 아첨과 사치를 일삼는 외척들뿐이었어.
전하의 종입니다.
명품이야.
딸랑
딸랑
갑신정변 후 일본의 강요로 한성조약* 을 체결하게 돼.
배상금과 공사관 신축비도 물어내!
한성조약

*한성조약 – 1884년에 조선과 일본이 갑신정변의 뒤처리를 위하여 맺은 조약.

청일 두 나라는 톈진조약(천진조약)** 을 체결해.
톈진조약(천진조약)
–조선에서 청·일 양국군이 철수할 것.
–이후 조선에 파병할 경우 상대국에 미리 알…
박은식은 당시 일본은 청국과 전쟁을 치르기엔 군사력이 부족해 청에게 양보했지만
평화적으로 해결하자고.
속으론 결전을 도모하게 되어
나중에 두고 보자!

**톈진조약 – 1885년에 중국의 톈진에서 일본과 청나라가 맺은 조약.

갑오년(1894년)에 청일전쟁까지 일어났다고 했어.
갑신년의 러시아는 어떠했는지 살펴볼까?
우린 친러파야.
독일인 묄렌도르프*는 우리나라의 외교고문이었는데
청일, 두 나라가 갖고 있는 조선에 대한 야심이 조선독립에 걸림돌이라고 했어.
저들보단 친러 통상조약을 체결해야 합니다.
묄렌도르프는 중국 이홍장의 추천으로 외교고문이 된 사람이야.
추천!

＊묄렌도르프(Möllendorf 1848~1901) – 독일의 외교관.

러시아와 통상조약을 체결하여 묄렌도르프는 러시아 황제에게서 이등훈장을 받기도 했어.
조러 통상조약
1886년에는 러시아와 추가로 육로통상조약(경흥조약)도 체결했어.
경흥조약
조선
러시아
그리고 이 즈음에 영국과 러시아 두 나라는 중앙아시아에서 충돌했어.
그때 영국의 동양함대는 전라도 거문도를 점거하고 영구 점령하겠다고 협박을 하였고,
?
러시아는 영국의 점거를 용인하면 다른 지역을 점거하겠다고 협박했어.
우리도 다른 지역에 거점을 마련할 거야.
우리 정부는 이러한 사실을 청나라에 알렸고
쟤들 좀 봐. 어떡하지?

그러자 영국은 1887년에 거문도에서 철수했어.
휴!
그러면서 우리나라에서는 러시아의 세력이 점차 커졌어.
청
일
러
그래서 친러파가 임금께 권하기를
전하! 친히 드릴 말씀이….
청은 실력이 부족하고 일본은 원수의 나라이며 러시아는 천하의 강대국이니 러시아와 친분을 맺어 원조를 얻는 것이 유리한 줄로 아뢰오.
흠! 일리가 있도다!
청나라도 이 사실을 눈치채고 대원군을 조선으로 귀국시켰어.
나 진짜 가도 돼?
그럼.
대원군은 임오군란으로 중국에 호송되었다 3년 만에 귀국하게 된 거지.
아~ 얼마 만이냐!
여기서부터 조선입니다
淸
대원군은 귀양살이 동안 세계정세를 살펴 정치와 외교에 상당한 포부를 가지게 되었어.
내 폭 넓은 지식으로…
그러나 대원군이 귀국할 즈음 궁에서는 대원군 추종자들은 전부 제거되었고
나가!
대원군은 운현궁에 갇혀 지내게 되었지. 운현궁 앞에 홍마목*을 세워 일반인의 출입을 금했어.
감금생활이 중국보다 더 심하잖아!
박은식은 정권쟁탈 때문에 천륜마저 끊어졌다며 통탄했어.
권력이 뭐길래!

*홍마목 – 예전에, 궁문 밖 좌우에 있던 네 발 달린 나무받침들. 가마 등을 올려 놓을 때 썼음.

갑신정변의 주역들

▲
갑신정변이 일어난 우정총국 건물-사적 제213호
(지정일 1970년 10월 29일, 서울 종로구 견지동)

갑신정변은 유학파 청년들이 일으켰던 혁명이야. 《한국통사》에서도 갑신정변의 실패를 많이 안타까워하고 있어. 아래로부터의 참여는 이루어지지 않고 위로부터의 혁명이었기 때문에 아쉽게도 실패했다고 말해. 새로운 문물, 즉 일본의 근대화를 직접 보고 일본처럼 우리나라가 빨리 근대화를 이루어 청이나 다른 나라의 간섭에서 벗어나자는 취지였어. 그럼 지금부터 개화를 꿈꾸며 노력했던 사람들을 좀 더 살펴보자.

김옥균(1851~1894)

먼저 갑신정변의 최고 주역인 김옥균은 일곱 살 때 안동김씨 김병기의 양자로 들어갔어. 1881년부터는 일본을 드나들며 일본의 근대화인 메이지 유신에 대해 깊은 관심을 가졌지. 그래서 우리나라도 일본과 같은 방식으로 근대화를 추구해야 한다고 판단하고 국내정치의 개혁을 주장했던 거야. 김옥균은 민씨 정권과 대립이 심해지자 갑신정변을 일으켜 짧은 기간이나마 호조참판으로 재정권을 장악하고 신정부를 지휘하기도 했어. 정변 실패 후 김옥균은 일본으로 망명했고, 김옥균의 어머니와 큰누이는 독약을 마시고 자결했어. 김옥균은 다시 부활을 꿈꿨으나 1894년 중국에서 자객 홍종우에게 암살되고 말았어.

▲
김옥균

홍영식(1855~1884)

홍영식의 아버지는 대원군 아래서 영의정을 지낸 홍순목으로 명문가 출신답게 출세가 빨랐어. 홍영식은 1881년에는 조사시찰단의 일원으로 일본을 시찰하였어. 또 1883년에는 보빙사의 부사로 40여 일 동안 미국을 공식 방문하고 돌아왔어. 넓은 세상을 보면서 개화운동의 필요성을 느끼고 급진개화파가 되었던 거야. 그는 병조참판으로 우정국 총사가 되어 정변의 기회를 제공했어. 청국군대가 궁궐로 들어왔을 때, 본인이 꿈꿨던 혁명을 끝까지 책임지기 위해 고종을 호위하다가 죽임을 당했어. 홍영식이 살해되자 아버지도 함께 목숨을 끊었어.

▲
홍영식

▲
박영효

박영효(1861~1939)

박영효는 1872년 철종의 딸인 영혜옹주와 결혼하여 임금의 사위가 되었어. 박영효는 형 박영교의 소개로 김옥균을 알게 되었고 1882년 임오군란의 사후 수습을 위해 특명전권대신 겸 3차 수신사로 일본을 방문, 일본 정계의 지도자와 서양 외교사절들과 접촉했어. 이때 태극기를 만들었지. 뿐만 아니라 한성판윤 재직 때 최초의 근대식 인쇄소인 박문국을 설립하여 최초의 신문 《한성순보》를 발간하는 데 중추적인 역할도 담당했어. 민씨 정권의 견제를 받아 광주 유수로 물러났지만 오히려 이곳에서 신식군대를 양성했고 이 중 일부가 갑신정변에 동원되었단다. 정변 실패 후 그는 일본으로 망명했고, 형은 남아 있다가 청나라 군대에게 목숨을 잃었어. 그는 다시 돌아와서 을미개혁을 주도하기도 하고, 다시 망명했다 돌아와 국권피탈 이후에는 변절자가 되어 일본작위를 받고 귀족원 의원을 지내는 등 친일행적을 남기기도 했지.

우리나라 최초의 신문인 《한성순보》가 발간된 것은 1883년 10월 31일이야. 비록 순한문이기는 하지만 외국의 문물을 알리는 데 앞장섰어. 월 3회 발행됐고 18면 내외로 구성되어 있어. 창간호에는 두 면에 걸쳐 목판화를 이용해 인쇄한 세계지도 '지구전도'를 소개하기도 했어.

1883. 10. 31 (제 1 호)[1]

漢城旬報

統理衙門博文局

▲
박영효가 주축이 되어 만든 《한성순보》

서광범(1859~1897)

서광범도 김옥균, 박영효와 함께 일본에 다녀온 인물이야.

1883년 보빙사의 일행으로 미국과 유럽을 순방했고 갑신정변 실패 후 김옥균, 박영효와 함께 일본으로 망명했지. 1894년 박영효와 같이 돌아온 후에는 을미개혁(1895년)에 참여하기도 했어. 을미사변이 일어났을 때 법무대신으로 재직하고 있었는데, 그때 명성황후의 폐서인 문서에 서명한 것이 문제가 되어 을미사변에 연루되었다는 혐의를 받기도 했어. 그래서 을미년 12월 주미특명전권공사로 자청해서 미국으로 떠났지. 아관파천(1896년 2월)으로 공사직에서 해임되었으나 우리나라로 돌아오지 않고 망명생활을 했어. 그 망명생활 중 폐병이 악화되어 죽고 말았어.

▲ 서광범

제6장
일본이 본격적으로 간섭하다
- 동학농민운동
동학농민운동에 관한 이야기를 들으려면 동학(東學)이 뭔지를 알아야겠지?
동 학
박은식은 동학이 철종(1860년) 때 경주의 미천한 출신인 최복술이 만들었다고 했는데,
미천한 최복술이
최복술은 몰락한 양반 출신으로 나중에 이름을 최제우로 바꾸었다고 해.
난 최복술이 아니고 최제우요.
동학은 서양의 학문에 대항한다는 의미로 동학이라고 이름을 지었어.
서양의 종교를 서학, 양학이라 한다니 우린 동학이라 이름 짓자.
西學
洋學
東學
동학은 유교, 불교, 도교를 혼합한 종교야.
불교
유교
도교
동학
동학의 기본사상은 '사람은 곧 하늘'이라는 인내천 사상이었어.
사람이 곧 하늘이니 사람을 섬기라.
人乃天

동학교는 최복술을 신사라고 부르며 서양의 기독교가 예수를 받드는 것처럼 했어.
이런 동학은 얼마 안 가 전국에 퍼졌어.
동학이라고 아시는가?
알다마다. 나도 동학 교도요.
이처럼 빨리 퍼진 이유로 세 가지를 들 수 있지.
첫째, 동학을 믿으면 재난과 어려움을 면하고 병이 낫는다고 하고
재난
질병
주머니에 부적을 넣고 다니면 총에 맞아도 죽지 않는다고 했어. 어리석은 백성들이 미신에 현혹되어 전국적으로 보급된 거야.
난 부적이 있어 두려운 것이 없다네.
정말?
둘째, 우리나라는 양반과 상민의 구별이 심하고 양반은 상민들을 노예처럼 천대하며 가혹하게 억압했어.
마님!
따라서 양반에 대한 원한이 쌓이고 쌓여 격렬하게 일어나 퍼지게 된 거야.
천한 것들이….
아버지~
할아버지~
셋째, 관리의 탐학과 노략질이 수십 년이나 이어져 백성들의 어려움이 극에 달했어.
세금을 내라고….
먹을 것도 없어요.
동학이 탐관오리와 간신배들을 몰아내고 백성들을 구제한다고 하니 전국에 퍼지게 된 거지.
제발 벌레 같은 양반과 관리 좀 소탕하자!

동학이 빨리 퍼진 이유는 한마디로 말하면, 동학의 기본 사상인 인내천 사상과 '보국안민', '제폭구민' 사상 때문이야.
보국안민
나라를 돕고 백성을 편안히
제폭구민
폭정을 제거하고 백성을 구한다
이렇게 동학이 퍼질 무렵 백성들은 힘든 삶을 이어가고 있었어.
원산이 개항된 후
평양
원산
서울
1876년 병자 수호조약으로 개항했지.
곡물을 무역하는 일본 상인이 늘었어.
그런데 1889년(기축년)에 흉년이 들자
함경도 관찰사 조병식은 방곡령을 선포해 곡물의 수출을 금지시켰어.
흉년이라 나라에 곡식이 모자라니 수출금지!
곡물수출금지 (방곡령)
그런데 일본의 항의로 11만 원의 배상금만 물고
누구 맘대로 수출금지야!
농촌은 갈수록 피폐해졌어.
풀 뿌리라도….
뿐만 아니라 갑신정변 이후 10년 동안 내정의 부패가 극에 달했어.
크~ 썩은 냄새!
외척(민씨 일파)들은 세력을 믿고 사리사욕 채우기에 바빴고
내 세상이다!
세상 다 가져라!
환관(내시)들은 임금의 총애를 업고 권력을 함부로 휘둘렀어.
우리가 누군지 알아?
또 궁궐에서는 미신이 성행해 기도와 제사가 성행하고 잔치도 끊이지 않았어.
덩더꿍
덩더꿍

농촌의 백성들은 관리들의 사리사욕을 위한 비용과 궁의 잔치를 위한 비용으로 착취를 당해 더욱 피폐해졌어.
밥 줘! 앙~
이런 지경인데도 양반들은 사리사욕을 채워 벼슬을 하거나 세력을 가진 자에게 아첨하기 바빴어.
나만 잘 살면 돼!
그나마 이건창, 권봉희 등이 고종임금에게 진언하고 백성들의 어려움을 알리는 상소를 올렸어.
백성들을 돌보소서.
하지만 오히려 고종임금을 진노케 한다며 귀양가게 됐어.
그래서 양반들은 친구 간이라도 말조심하게 되었고
안녕….
어….
바둑판 주변에 모여 앉아 도박을 하거나 술을 마시며 우스갯소리로 시간을 보냈어.
웃기지!
된장!
웃긴다. 술이나 마시자.
옳은 말을 하면 세력을 가진 자들이 보복을 하기 때문에 마음을 죽여 지냈던 거야.
괜히 말 한마디 했다가 신세 망친다.
박은식은 백성들의 삶은 피폐해지고 언론의 통로까지 막혀 동학의 난이 일어난 것이라 했어.
동학의 난
펑
1894년 갑오년에 일어났다 해서 갑오동학란이라고도 하는데
1894년(갑오년)
갑오동학란
동학농민운동이라고 하는 것이 올바른 표현이야.
동학농민운동의 진행과정을 살펴볼까?
동학농민운동

'난' 은 불만이 있다고
항의하는 것을 말하는 거야.
亂
임오군란은 임오년에 군졸들이
불만을 항의한 것처럼
동학농민운동도 처음에는 백성들이
폭정에 항의하는 민란에서 출발했어.
그만 뺏어가.
잡아 넣어!
1894년(갑오년) 겨울(1월 10일)에
동학당들이 전라도 고부군에서
군수 조병갑의 횡포와 착취에
항거해서 난을 일으켜.
해도 너무한다!
못 살겠다.
보국안민
고부군수 조병갑은 평소 곡식을
수탈하고 말도 안 되는 이유로 세금을
거두어 갔어.
자신의 아버지를 위한 공덕비를
세운다고 세금을 걷고
이리 내!
저수지 만석보를 중축하는 데
군민을 강제로 동원했어.
돈도
안 주면서….
그리고 만석보의 물을 이용할 땐 무거운
세금을 내야 했어.
우리가
만들었는데….
물도
돈 내고
쓰라니!
임기가 끝나도 떠나질 않았어.
임기 끝나기만
기다렸는데 가지도
않아 화상이!
난
이 고장이
마음에
들었네!
난이 일어났으니 조정도 이용태를 안핵사로 보내 난을 조사하고
진압하라고 명령했어. 안핵사란 지방에서 일어난 사건을 조사하기
위해 중앙에서 파견한 임시관직이야.
가서
알아 봐!
히힝~

그런데 이용태 역시 난의 원인을 조사해서 문제점을 해결하려 하지 않고
조사 안 해?
음… 경치 좋은 걸.
자신의 이익을 탐내면서 어부지리를 얻고, 난을 과도하게 진압했어.
떡 고물 좀 없어?
난… 아니라니까요.
그렇게 난을 진압하자 더욱 민심은 흉흉해졌어.
상처 난 데 소금 뿌리냐!!
소금
이때 고부 향장 손화중이 마을사람 전봉준, 전주 사람 김개남 등과 함께 탐관오리를 몰아내고 백성을 구하자는 격문을 띄웠어.
우리가 의를 들어 이에 이름은 그 본의가 다른 데 있지 아니하고 창생을 도탄에서 건지고 국가를 반석 위에 두자 함이다. 안으로는 탐학한 관리의 머리를 베고 밖으로는 횡포한 강적의 무리를 구축하고자 함이다.
격문을 보고 모인 사람이 수만 명이나 되었다고 해. 이제 동학교도들뿐 아니라 농민들까지 참여하게 된 거야.
우리가 살 곳은 우리가 지킨다!
관리도 더 이상 못 믿겠다!
제폭구민
보국안민
이젠 동학당이 아니라 농민군이라고 해야겠지?
동학
농민군
농민군은 '군율'을 먼저 정했어.
우리는 폭도가 아니다. 우리는 어엿한 농민군으로 규칙을 정한다.
보국안민
-싸우지 않고 이기는 것이 가장 좋지만 부득이 싸우게 될지라도 살상을 신중히 할 것.
-행군 중 지나가는 마을에서 사람과 재물을 해치지 말 것.
-효자와 충신이 사는 마을 십 리 안에는 주둔하지 말 것 등.

농민군은 각 고을의 병장기를 탈취하고 관청에 난입해 수령을 구타했어.
살려~
옥문을 부수어 갇힌 자들을 풀어주고 일부는 관청에 불을 지르고 창고를 약탈했어.
농민군은 큰 깃발에 '보국안민 체천행도'라 쓰고 자신들을 백성을 구하는 의병이라고 했어.
보국안민 체천
농민군은 호남 각 고을 대부분을 점령했어.
와아ㅡ
전주(감사 김문현 도망)
영광(군수 민영수 도망)
동학당이 처음 봉기할 때, 경성으로 올라가서 임금 주변의 악한 무리들을 제거한다는 구호를 내걸었지.
뭐야? 민란이야?
알아서 진압해.
전주까지 함락되자 조정대신들은 깜짝 놀랐어.
장난 아니다! 맞아 죽게 생겼다!
그러고는 청나라에 군사를 파견해 달라고 요청했어.
어떻게 좀 해줘요.
淸
난이 일어난 원인은 정부에 있는데 백성들이 사나워 다스리기 어렵다며
백성들이 사납다니? 자신들이 잘못해 화가 난 백성을….
청나라에 진압을 요청한 것은 잘못된 일이야.
외국의 군대를 불러 진압하려 하다니 이것이 백성을 위하는 왕의 태도인가?
관리들의 부정부패와 언론이 막혀 백성들의 어려움은 왕에게 전달되지 않았던 거야.
?
그러고는 난의 원인을 백성들에게 뒤집어 씌우는 꼴이었지.
전하! 폭도들이 옵니다.

또 톈진조약에 따라서 청이 파병하면 일본이 가만히 있지 않을 것인데
톈진 조약
조선에 파병할 경우 상대국에 알릴 것
일 · 청
두 나라 군대를 불러들이면 우리나라가 어떻게 무사할 수 있겠어.
청이 군함을 이끌고 5월 5일 충청도 아산 만에 도착하자
淸
역시나 일본도 군함을 이끌고 5월 6일 인천에 도착했어.
인천
淸
서산
아산
일본이 인천에 도착하고 나서야 정부도 잘못 되어가고 있다는 것을 느꼈어.
이건… 아닌데….
민영준이 일본 공사를 방문해 일본 군대의 철수를 요구했지만 청군이 먼저 철수하면 자기들도 물러가겠다고 반박했어.
이때 정부는 우왕좌왕하며 어찌할 바를 몰랐고
어쩌지?
안절
부절
개화파 인사들은 일본과 손잡고 정부를 무너뜨리고 정치를 개혁해 보려고 일본 공사관을 드나들기도 했어
기회가 또 오나?
일본공사관
점점 위기의식을 느낀 정부는 농민군에게 대대적인 개혁을 약속하고 타협을 했어. 정부군과 힘겨운 전투를 치르고 있던 농민군도 휴전을 반가워했어.
개혁할게! 약속해!
정말 입니까?
淸
이로써 전주화약(1894년 5월 8일)을 체결한 거야.
이제 끝이다!
전주화약

농민군과 협약을 맺은 뒤 정부는 청일 두 나라에 군대를 철수하라고 요구했어.
일 끝났으니 돌아 가시죠?
하지만 그들은 돌아갈 생각을 안 하고 뜸을 들이고 있었어.
하라는 군대철수는 안 하고 일본은 우리나라 개혁에 압력을 가하기 시작했어.
개혁 좀 하지 그래?
오토리
급기야 오토리 일본공사는 개혁안 5개조를 고종께 올린 거야.
인재등용
재정정리
재판공정
군경충실
학교제도완비
정부는 청에 전보로 알렸는데,
자꾸 압박하는데 어떻게 하죠?
뚜뚜뚜–
"단연코 거절하면 오토리도 계책이 궁해져 스스로 철회하게 될 것이오."라는 회답이 왔어.
청
조선
그러나 오토리는 계속 개혁안 실행을 독촉해서 논의 끝에
빨리 빨리
남산의 노인정에서 담판한 결과 개혁을 실시하도록 결정했어.
결정했어! 개혁 합시다!
노인정
원세개가 청에 이 소식을 전하자
그랬대요~
淸
청의 황제는 크게 노해서 조선을 보호하라는 명을 내렸대.
조선의 내정간섭은 청나라와 조선, 양국 모두를 무시하는 것이다.
그러나 우리 정부는 꼭 일본이 요구해서가 아니라 농민군과의 약속도 있었기 때문에 개혁을 진행하기로 결정한 거야.
보국안민체천
전주? 기억하지?

이렇게 개혁안을 받아들이기로 했지만 일본은 돌아갈 생각을 안 했어.
이제 그만 가.
오히려 일본군은 경성의 요지를 점령하고 청의 행동을 견제했어.
청나라의 이홍장은 여전히 평화적 해결방안을 모색하고 있었어.
전쟁은 어떤 경우든 손해야.
우리 정부의 요청도 있었고 원세개도 즉시 전쟁을 원하지 않아 우선 대부대를 국경에 주둔시키고 아산의 병력을 철수한 다음, 가을에 작전을 하는 것이 좋다고 생각해서
6월 15일 원세개는 텐진으로 돌아갔어.
나 돌아올 때까지 잘 지켜!
하지만 6월 20일 밤 일본의 오토리가 부대를 이끌고 와서 경복궁을 포위했어.
기회는 찬스!
이날 일본군이 대궐을 장악하며 궁 안의 골동품, 보물, 서적 등을 모두 약탈해 갔어. 심지어 후원의 동물원에서 기르던 진귀한 동물들까지 잡아 갔어.
진귀한 것은 몽땅 내 것!
이렇게 일본이 경복궁을 포위하면서 청일전쟁(1894~1895)과 갑오개혁이 시작돼.
청나라, 붙어보자.
일본이 경복궁을 포위하고 우리 정부의 개혁에 영향력을 행사하자
청나라도 가만히 있지 않았어.

청은 군함 다섯 척에 병사들을 태우고 아산만을 향해 떠났고
풍도 앞바다에서 일본 군함과 마주쳐 포격이 시작되었어. 드디어 청일전쟁이 시작된 거야.
평양
인천
풍도
성환
공주
군산
목포
웨이하이
첫 번째 전투에서 청나라는 크게 패하고 전군이 무너지고 말았어. 당시 아산과 성환에 있던 청군은 불과 2,000명이었는데
6월 27일 오토리가 육군소장 오지마에게 명해 청군 진영을 공격했어.
청나라는 패전군을 이끌고 평양으로 후퇴했어.
평양
후퇴! 후퇴다!
인천
장영
성환
일본군이 경복궁을 포위한 후 시작한 일을 '갑오개혁'이라고 해.
자, 개혁하는 것 좀 도와줘 볼까!
…
일본은 청나라와 친해 자신들을 견제했던 민씨 정권을 몰아내고 귀양 보냈어.
민영준
임자도
민형식
녹도
민응식
고금도
그리고 민씨 정권을 견제하기 위해 대원군을 궁궐로 맞아들였어.
귀양살이 맛이 어때? 내가 선배잖아.

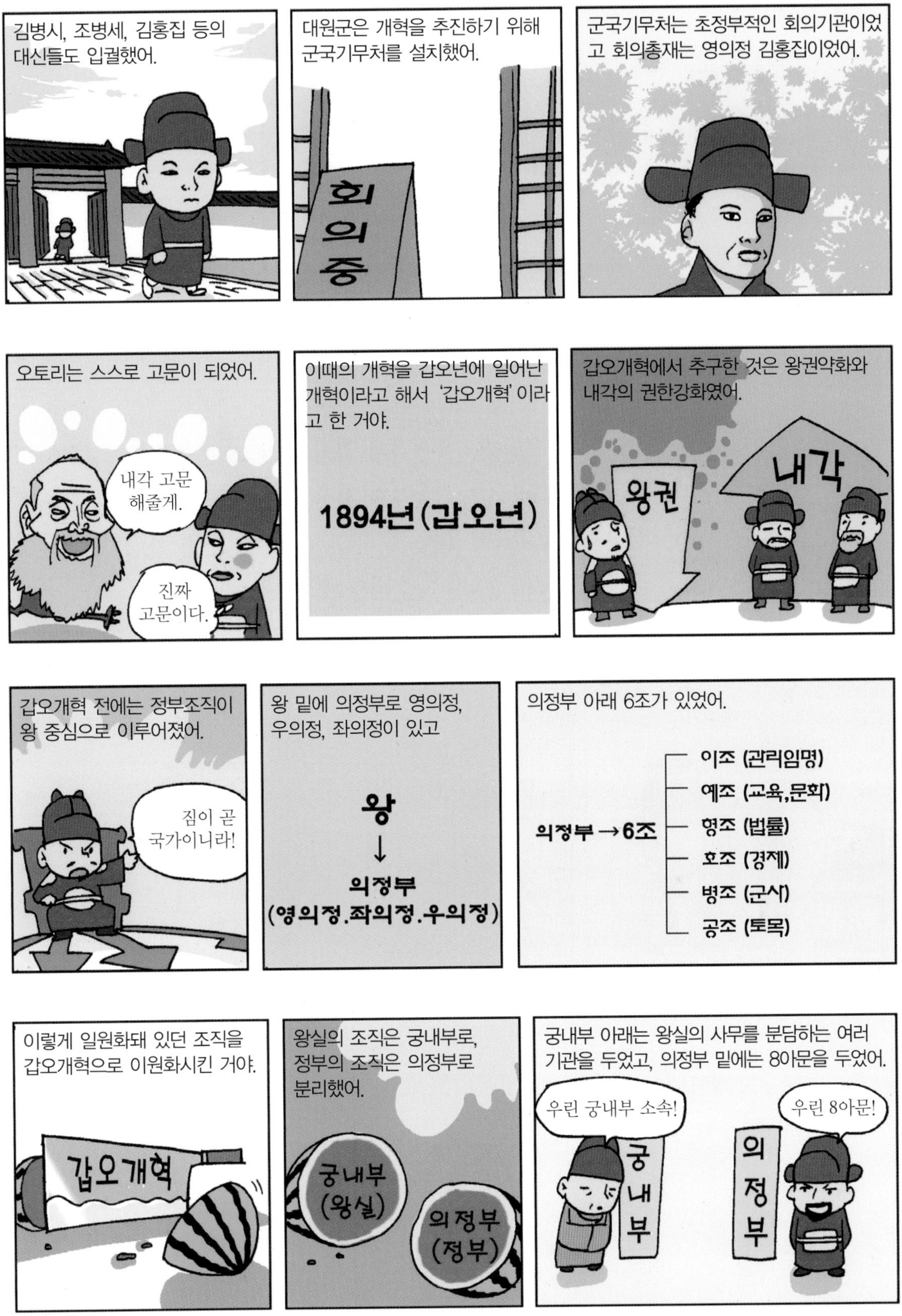
김병시, 조병세, 김홍집 등의 대신들도 입궐했어.
대원군은 개혁을 추진하기 위해 군국기무처를 설치했어.
회의중
군국기무처는 초정부적인 회의기관이었고 회의총재는 영의정 김홍집이었어.
오토리는 스스로 고문이 되었어.
내각 고문 해줄게.
진짜 고문이다.
이때의 개혁을 갑오년에 일어난 개혁이라고 해서 '갑오개혁'이라고 한 거야.
1894년(갑오년)
갑오개혁에서 추구한 것은 왕권약화와 내각의 권한강화였어.
왕권
내각
갑오개혁 전에는 정부조직이 왕 중심으로 이루어졌어.
짐이 곧 국가이니라!
왕 밑에 의정부로 영의정, 우의정, 좌의정이 있고
왕
↓
의정부
(영의정.좌의정.우의정)
의정부 아래 6조가 있었어.
의정부 → 6조
이조 (관리임명)
예조 (교육,문화)
형조 (법률)
호조 (경제)
병조 (군사)
공조 (토목)
이렇게 일원화돼 있던 조직을 갑오개혁으로 이원화시킨 거야.
갑오개혁
왕실의 조직은 궁내부로, 정부의 조직은 의정부로 분리했어.
궁내부 (왕실)
의정부 (정부)
궁내부 아래는 왕실의 사무를 분담하는 여러 기관을 두었고, 의정부 밑에는 8아문을 두었어.
우린 궁내부 소속!
궁내부
의정부
우린 8아문!

6조의 역할이 8아문으로 바뀐 거야.
8아문
내무아문 외무아문 탁지아문 군무아문 법무아문 학무아문 공무아문 농상아문
의정부 장관을 총리대신, 궁내부와 8아문의 장관들도 대신이라 불러.
궁내무대신
내무대신
영의정 김홍집은 총리대신으로 부르게 된 거야.
이젠 영의정이 아니라 총리대신이야.
갑오개혁을 진행할 때는 일본이 청일전쟁 중이라 간섭이 적었어.
일단 전쟁부터 치르고….
농민군의 개혁도 받아들였어.
신분제 폐지
노예제 폐지
하지만 신분을 떠나서 관리채용을 하겠다던 갑오개혁도
신분에 관계없이 학문이 높으면 가능하다고!
합격
필승
자네 글을 아나?
이전의 조선왕조처럼 실용적인 것을 중요하게 생각하지 않은 것은 아쉬운 일이었어.
실용은 천한 것.
지금까지 정치, 법률, 군사, 농업, 공업, 재정 등 실용적인 학문은 배우지도 않았고
공자왈 맹자왈~
그 분야에 관심이 있던 유형원, 정약용, 박지원의 실학은 배척당했어.
반계수록
유형원
목민심서
정약용
열하일기
박지원
지금 같은 때에 부강한 실력이 없으면 생존할 수 없고 부강함은 물질이 발달하지 않고서는 불가능한데
여전히 실용적인 것을 중요하게 생각지 않는 것은 안타까운 노릇이야.
자고로 선비는 글이나 읽어야….
어디 천하게 돈벌이에….

이렇게 갑오개혁이 진행될 때 일본은 청일전쟁에서 승리했어.
청나라 군대는 마음이 교만하고 기강이 해이해서
우리 같은 대국이 질 리가 없지.
기강이 서 있고 병사마다 지도를 소지한 일본군을 이기는 것은 무리였어.
황해에서의 격전에서도 청국군함은 일본군함에 밀려 침몰하거나 도주했고
평양이 함락되자 청군은 바람처럼 랴오둥(요동)으로 돌아갔어.
튀어!
淸
후다닥
청일전쟁에서 일본이 승리를 하고 우리 정부를 장악할 무렵
남의 나라 전쟁에 왜 우리가 이 고생을 해야 하는 거야?
청과의 전쟁에 우리 조선사람을 인부로 부려 먹고 식량을 징발해 가서 반일감정이 점점 거세어지고 있었어.
농민군은 1894년 9월에 삼례에서 다시 봉기를 했고
깃발을 다시 올리자!
전봉준은 삼례집회를 주도하며 전라도의 농민군을 모았어.
그러고는 충청도와 경상도도 봉기에 참여하기 시작했지.

그러나 11월 관군이 청일전쟁에서 승세를 잡은 일본군과 합세하여
도와주지.
농민군은 전투에서 밀리게 되었어.
어찌 왜적과 관군이 백성들을 잡는가!
결국 농민군을 이끌었던 전봉준, 김개남, 손화중이 체포되었어.
김개남은 전주에서 처형당하고
전봉준과 손화중은 경성으로 압송되어 회유에도 넘어오지 않자
목을 베어 처형했어.
동학농민군이 정치를 개혁하고 민생을 보호한다는 원래의 목적은 좋았어도 대부분이 배우지 못한 탓에 오합지졸이었어.
좌로 갓!
좌가 뭐시여?
그래서 폭정에 대한 응징이 지방에서는 성공했지만 학식과 담력이 부족한 탓에
지렁이도 밟으면 꿈틀 한다.
중앙정부의 개혁에까지 이르지 못한 것이 한스러웠어.
중앙정부 개혁까지 성공했으면 동학농민혁명이라 불렀을 텐데.
9월이 되자 일본은 오토리를 소환하고 이노우에를 파견했어.
오토리
이노우에
이노우에는 부임 즉시 대원군이 청국과 관계가 있다며 물러나게 했어.
가슈~
대원군
그리고 혁신안(20조)을 올렸는데 김홍집 등이 적극적으로 받아들이지 않자
어때?
별로야.
혁신안 20조

일본 편에서 개혁을 진행할 사람으로 박영효를 선택하고 일본의 입김 속에 박영효를 주축으로 다시 개혁을 시도했어.
갑신정변으로 일본에 망명했었지.
날 살려준 건 일본국뿐이니… 훗.
내무대신
법무대신
외래 문물을 빨리 받아들여야지.
서광범
일본은 '홍범 14조'를 고종이 몸소 종묘에 나아가 조상의 영전에 발표하게 해.
홍범 14조 중 1조를 보면 일본의 입김을 알 수 있어.
- 1조 : 청국에 의존하려는 생각을 버리고 자주의 기초를 세운다
청의 간섭을 배제하는 거지.
2차 갑오개혁으로 8아문은 7부로 바뀌었어.
8아문 → 7부 내무부
외무부
탁지부
군무부
법무부
학무부
농상공부
1895년 4월 15일 일본과 청은 전쟁을 끝내는 시모노세키 조약을 체결했어.
청국은 배상금을 물고 랴오둥은 일본이 갖는다!
이후 허점이 드러난 중국을 세계 열강들이 서로 차지하겠다고 흔들었어.
이게 웬 떡이냐!
잘 먹겠습니다.
랴오둥 반도도 일본이 갖겠다는 걸 러시아와 프랑스, 독일이 간섭했어.
누구 맘대로
평양
랴오둥 반도
그래서 일본은 랴오둥 반도를 중국에 반환하게 돼.
젠장!
그러면서 러시아는 랴오둥의 중심도시 뤼순(여순)과 다롄(대련)을 25년간 빌려갔어.
빌린다.
다롄
뤼순
영국은 웨이하이(위해)를 25년간, 주룽(구룡)만을 99년간 빌려간다고 했어.
웨이하이
홍콩
알았지? 빌릴게!
대국이라는 중국이 흔들리는 모습에 우리나라의 미래는 더욱 걱정되었어.
후덜~

동학농민운동의 세 지도자

'보국안민 제폭구민', 일본과 서양을 몰아내자는 척양 척왜를 주장했던 동학농민운동! 처음에는 동학 난에서 출발했지만 농민의 적극적 호응으로 동학농민운동으로 발전했다고 했지. 전국적으로 호응이 있었던 것은 훌륭한 지도자가 있었기 때문이야.

전봉준(1855~1895)

최고의 지도자로 알려진 전봉준부터 살펴보자. 전봉준은 유난히 작아서 '녹두장군'이라고도 해. 전봉준은 1855년 고부의 당촌마을에서 훈장 전창혁의 아들로 태어났어. 어려서부터 병서를 즐겨 읽고 개구쟁이로 소문이 자자했지. 가족의 생계를 꾸려나가기 위해 훈장노릇은 물론 풍수쟁이, 약장수까지 했다고 해. 전봉준이 동학에 가담한 것은 동학이 사회모순을 해결할 수 있다고 생각했기 때문이야. 동학 난이 있기 전 1893년에 경성에서 대원군을 만났다는 이야기가 있어. 동학당이 처음 봉기(1894년 1월 1일 고부민란)할 때 경성으로 올라가서 임금 주변의 악한 무리들을 제거한다는 구호를 내걸었다고 했지? 그 악한 무

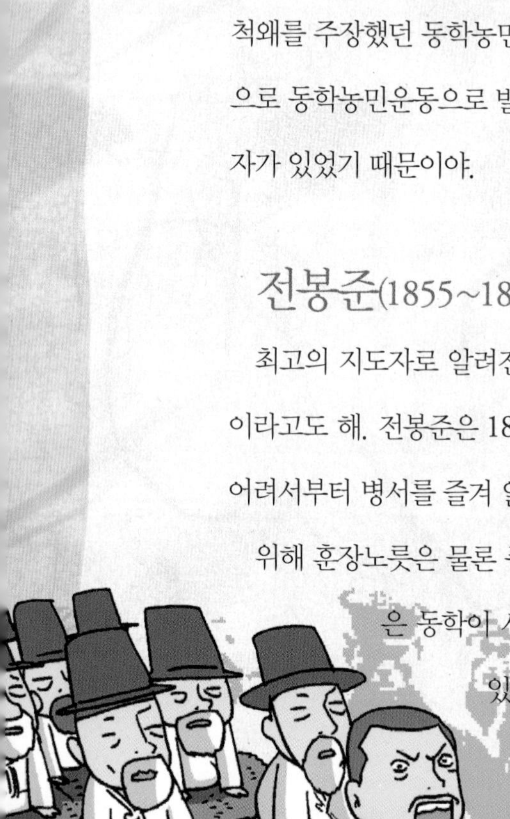

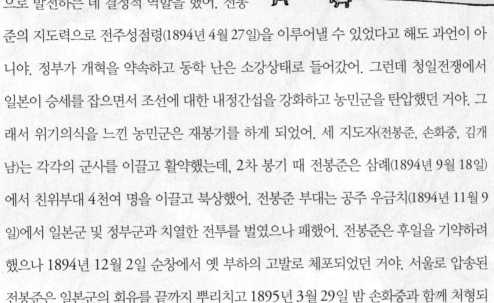

리가 민씨 정권이야. 전봉준은 온화하면서도 한번 결정한 일은 실천에 옮기는 단호함을 가지고 있어서 반외세, 반봉건의 동학농민운동으로 발전하는 데 결정적 역할을 했어. 전봉준의 지도력으로 전주성점령(1894년 4월 27일)을 이루어낼 수 있었다고 해도 과언이 아니야. 정부가 개혁을 약속하고 동학 난은 소강상태로 들어갔어. 그런데 청일전쟁에서 일본이 승세를 잡으면서 조선에 대한 내정간섭을 강화하고 농민군을 탄압했던 거야. 그래서 위기의식을 느낀 농민군은 재봉기를 하게 되었어. 세 지도자(전봉준, 손화중, 김개남)는 각각의 군사를 이끌고 활약했는데, 2차 봉기 때 전봉준은 삼례(1894년 9월 18일)에서 친위부대 4천여 명을 이끌고 북상했어. 전봉준 부대는 공주 우금치(1894년 11월 9일)에서 일본군 및 정부군과 치열한 전투를 벌였으나 패했어. 전봉준은 후일을 기약하려 했으나 1894년 12월 2일 순창에서 옛 부하의 고발로 체포되었던 거야. 서울로 압송된 전봉준은 일본군의 회유를 끝까지 뿌리치고 1895년 3월 29일 밤 손화중과 함께 처형되었어. '작은 거인' 이었던 그는 죽으면서도 "내 피를 종로 네거리에 뿌려라."라고 말할 정도로 꿈꾸던 세상이 오길 기원하면서 갔어.

▲ 잡혀가는 전봉준

정강이가 부러지는 부상을 당한 채
붙잡힌 전봉준이 들것에 실려 호송되고 있는
사진이야. 이때, 전봉준을 본 외국기자는
"다리도 다치고, 부상 때문에 붕대를 감았고
안색은 창백해 보였지만,
눈빛은 예리하게 빛났다."고
묘사하기도 했어.

손화중(1861~1895)

▲
손화중

손화중은 1861년 전라북도 정읍에서 대대로 지주행세를 해 온 밀양 손씨 가문에서 출생했어. 1881년 지리산 청학동에 들어갔다가 동학에 입도해 수도생활을 했으며, 이후 고향으로 돌아와 포교활동을 벌이기도 했어. 손화중은 키가 크고 인상이 부드러우며 설득력이 뛰어난 것으로 유명해. 동학농민운동의 특징이 각자 군사를 가지고 활약했다고 했지? 2차 봉기 때에는 일본군이 남해안 쪽으로 상륙해 올 것을 대비해 북상하지 않고 나주와 광주 지역을 지켰어. 손화중 부대는 후퇴한 농민군들과 합세하여 광주에서 치열한 전투를 벌였으나 전세를 돌이킬 수는 없었어. 그래서 1894년 12월 1일 농민군을 해산하고 고향 고청으로 피신했어. 후일을 도모하고 싶었으나 이용우의 고발로 1895년 1월 6일 정부군에 체포되었어. 서울로 압송된 후 전봉준과 같이 처형당하고 말았단다.

김개남
▼

김개남(1853~1895)

김개남은 1853년 전라북도 태인의 부잣집에서 태어나 어릴 적부터 병서를 즐겨 읽고 말썽꾸러기로 유명했어. 본명은 기범인데 꿈에 신인이 나타나 '개남' 이라는 두 글자를 손바닥에 써서 보여주었다 해서 이름을 '개남' 으로 바꾸었다는 일화가 전해져. '개남' 은 '남쪽을 연다' 는 뜻으로 '새로운 세상을 연다' 라는 뜻이라고 해. 김개남은 과감성 있는 강경한 인물로 유명해. 1차 봉기 때 전주성을 함락하고 정부군과 전주화약

전주 덕진공원에는
동학농민운동의
세 지도자를 기념해서 세운
전봉준 동상, 김개남 추모비,
손화중의 추모비가
세워져 있어.

(1894년 5월 8일)을 체결했다고 했지? 동학군은 개혁안을 실행하기 위해 전국에 집강소를 설치했어. 김개남 부대는 남원 일대에 있었는데 특히 이곳에서 양반에 대한 분풀이가 많았다고 해. 김개남 부대가 노비, 백정 등 천민출신이 많아서인 이유도 있었지만, 김개남이 정부를 믿지 못하고 화해에 부정적이었다고 해. 그래서 일본군이 경복궁을 점령(1894년 6월 20일)했을 때도 즉각 봉기를 주장하기도 했어. 2차 봉기 때 우금치 전투(1894년 11월 9일)가 한창일 때 북상하여 청주성을 공격했으나 함락시키지 못하고 패했어. 고향 태인으로 돌아온 김개남은 옛 친구의 고발로 체포되었어. 전봉준과 손화중은 서울로 압송되었으나 김개남은 전주에서 처형당했어.

▲
전봉준 동상

김개남장군추모비

▲
김개남 추모비

손화중 추모비
▼

사람이
한울이다
보국안민
척양척왜

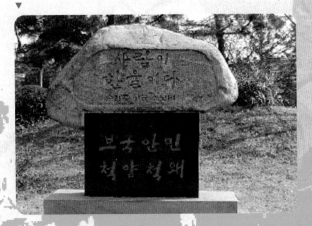

제7장

참담하다! 우리 국모의 시해
- 을미사변

1895년 을미년은 갑오년(1894년)과 마찬가지로 많은 일들이 일어났던 해야.
1895
多事多難
외세의 침입 속에 근대화 개혁을 추진하려 노력한 시기였지만
개혁
개혁을 통해 힘을 기르는 데는 실패했어.
그중 가장 충격적인 일은 우리 국모의 시해야. 일본은 정말 있을 수 없는 잔인한 짓을 한 거야.
일본이 명성황후를 살해했다!
어찌 이런 잔인한 짓을!
이런 참담한 사건이 일어날 수 있었던 것은 우리가 그만큼 약했기 때문이지.
그래서… 어쩔 건데!

어떻게 이런 일이 일어났는지 을미년에 일어났던 일을 살펴보자.
을미년
을미년엔 세력다툼이 치열했어. 그 세력다툼인 당쟁이 우리나라를 더욱 약하게 만들었어.
나라가 부강해지도록 온 힘을 모아도 모자란데 싸움만 하고 있다니.
이 당쟁의 역사를 반성해야 해!
당쟁의 현장을 가 볼까? 갑오년의 두 번째 개혁을 주도하던 인물, 기억하지?
나, 박영효!
박영효는 내무대신으로 실권을 잡은 동안 대원군파를 제거했어.
저리 가!
뻥
대원군파
법무협판 김학우가 피살되는 사건이 있었는데
법무 협판 피살사건
이준용(대원군의 손자), 김국선, 한기석, 박준양 등을 혐의자로 체포했어.
굴비 엮듯이......
이준용만 교동도에 유배되고 모두 교수형에 처했는데
교동도
사람들은 박영효가 대원군파를 제거하기 위해 혐의를 씌운 것으로 보았어.
수군 수군
이렇게 승승장구하던 박영효에게도 위기가 왔지. 러시아의 세력이 커지면서 이완용, 이윤용 등이 박영효를 버리고 친러파로 기울었어.
이제는 러시아에 붙어야지.
러시아

박영효의 주변에 아무도 없고 혼자가 된 거야.
나 완전히 새 됐어.
이때 일본인 사사키가 박영효가 역모를 꾀한다고 밀고해.
쟤가 역모를 꾀하고 있어.
박영효는 밀고로 인해 또다시 망명길에 올랐어.
어쩔 수 없다!
박영효는 실패를 스스로 불러들인 것이었어.
실패야, 게 있느냐?
멍
일본에 이용당해 정권을 획득했던 박영효는 본래 특별한 자립기반이 없었어.
뭐야 쟤?
마땅히 민심을 수습하고 사람들의 기대를 포용해 화합하려 노력했어야 하는데,
좋은 방향으로 함께 갑시다.
사람 괜찮네.
반대파의 배척에만 힘써 자신의 처지를 고립시켰어.
배척
배척
배척
그리고 박영효의 잘못도 물론 크지만 더 큰 문제가 있었어.
먼저 이야기한 당쟁의 역사 말이야.
당쟁
앞에서도 자손대대로 당파끼리 싸우면서 국가의 안위나 백성들에게 무관심하게 되었다고 이야기했었지?
무슨 짓들인지….
갑오년과 을미년에 있었던 세력다툼도 자신들의 이익만 생각하는 당쟁의 결과야.

다시 말해 김홍집, 어윤중의 내각을 갑오개혁 때 박영효가 무너뜨리고
김홍집, 박영효의 내각을 다시 유길준 등이 무너뜨리고
또 아관파천(1896) 때 김홍집, 유길준 내각을 다시 이완용, 이범진이 무너뜨렸어.
이들은 자신들의 권력에만 관심이 있고 나라의 흥망에는 무관심했던 거야.
양반사회의 당쟁이 관직 쟁탈에서 나온 것으로 가장 반성해야 할 것이야.
관직
양반사회에서 제일 나쁜 것!
관직만 있으면 자자손손 편하게 살 수 있었으니 자연스럽게 관직 쟁탈에만 연연했던 거지.
과거급제 하든지 줄을 잘 서든지 한 가지만 하면 된다!
양반들이 이러니 평민들도 이런 악습이 전염되어
나만 편하게 잘살면 된다.
노동을 천시하여 기피하고
미련하게 힘들게 일하네.
권세에 아부하여 사회를 조종하는 것에만 관심을 가진 거야.
헤헤, 나으리….
결국 나라 전체가 서로 양보하는 정신은 없어지고 싸움만 일삼아 온 것이 나라살림의 큰 병이 된 거야.
뭐야! 네 잘못이야!
이것이 병이라면 이렇게 해야 약이 될 것이니
모두 내 잘못이오. 미안하오.
이런 행태는 크게 반성해야 해.
이젠 남 탓은 그만 하고 나 스스로 잘 해야 해!

1895년 을미년에 청일전쟁에서 승리한 일본은 중국과 우리나라를 마음대로 할 수 있을 거라 생각했어.
음하하하! 이젠 중국과 조선은 우리 식민지다!
그런데 러시아가 튀어나와 시비를 걸었어.
야! 너 이리로 와 봐!
그래서 랴오둥 반도는 다시 중국에게 돌려주고
여기 돌려주면 되잖아.
랴오둥
러시아는 뤼순과 다롄을 빌려가는 형식으로 차지하게 된 거야.
알았지? 잠깐 빌리는 거야.
러시아는 총탄 하나 쏘지 않고 부상자 한 명 없이 이익을 얻었지.
장사란 이렇게 하는 거야.
일본은 속으로 괘씸하게 생각했어.
재주는 곰이 다 부리고….
뿌득!
그런데 러시아는 거기서 그치지 않고 우리나라에도 진출을 했어.
야~ 여기도 좋은데!
그러자 우리나라를 마음대로 주무를 수 있을 거라는 일본의 기대는 무너지고
와르르
우리나라는 친러파가 속출하게 되었어.
러시아가 힘이 센 것 같아!
나도.
결국 일본은 세력을 잃을 처지에 몰렸어.
죽 쒀서 개 주게 생겼다.
그래서 일본은 세 가지 일을 계획했어.
뭔가 방법이….

흐흐흐….
1. 러시아 황제를 살해한다
2. 중국 전권대사를 살해한다
3. 조선의 국모를 살해한다
박영효가 다시 망명한 뒤 친일파들은 이전처럼 내각을 차지하고 있었어.
나 또 왔지롱~
박영효
친일
그러나 다른 세력인 친러, 친미 일당들이 정동구락부를 만들어 조직을 정비하고 있었지.
친러
친미
정동구락부
또한 동학농민운동 당시 쫓겨났던 민씨 일파들은
죄가 용서되어 민용준이 다시 정권을 잡는다는 소문이 널리 퍼졌어.
수군 수군
민씨가 다시 정권을 잡는대.
이에 일본공사 이노우에는 종전의 태도를 바꾸고 공손한 태도로 우리나라를 대우했어.
우리는 조선을 존중합니다.
왜 갑자기?
공손~
그는 고종을 알현하고 돈 6천 원을 헌납했고
저,,여기~
이노우에 부인이 헌납한 돈도 3천 원이나 되었어.
난 이노우에 부인~
돈을 헌납하면서 정권확보, 왕실안전, 권력통일을 도모하는 데 사용하라고 진지하게 이야기했어.
진심입니다
오~
그래서 궁중에서는 그가 성심껏 자신들을 보호하려는 것이라 믿고
진심으로 나를 위해 주는 사람이었군!
다른 짓을 할 거라는 생각은 추호도 의심하지 않았어.
흐흐흐!
결국 일본을 경계하지 않은 것이 국모시해라는 엄청난 일을 불러온 거야.
스릉~

한편 우리나라는 일본 장교를 초빙해 병사 2개 대대 800명을 훈련시켜서 훈련대라 부르고 궁성을 경비하게 해왔는데
차렷
열중쉬어
그 훈련대가 종종 경찰관리와 충돌하여 불평이 생기곤 했어.
우리가 누군지 알고?
우린 경찰이야.
이때 친러파는 러시아 세력이 일본보다 우월하니 러시아를 이용하여 왕실을 보호하고 왕권을 신장하자고 권유했어.
러시아가 더 강합니다.
그러면서 훈련대가 방해되니 이를 해산해야 한다는 말을 퍼뜨렸어.
쟤들이 문제야.
훈련대
훈련대 대대장 우범선 등이 크게 분노해 결사투쟁을 도모했어.
투쟁
해산 철회하라!
또 궁중 일파가 김홍집 총리와 친일파들을 살해하고 민씨 정권을 회복하려고 계획 중이라는 유언비어가 떠돌고
수군
수군
민씨들이 정권을 잡는대.
함경도 내 항구 하나를 러시아에 빌려주고 보호를 구한다는 등의 소문이 떠돌아 의혹은 가중되고 민심은 흉흉해졌어.
웅성
웅성
이런 이런….
당시 일본 공사 이노우에가 돌아가고 후임으로 미우라가 도착했어.
미우라는 원래 무관 퇴직자로 외교관도 아니었어.
일본이 이런 사람을 공사자리에 임명했다는 것 자체가 음모의 시작이지.
내가 할 일이 뭐겠어?

미우라는 스기무라, 오카모토 등과 명성황후 제거를 모의했어.
그들은 대원군을 허수아비로 이용하기로 하고 대원군을 찾아가 설득했어.
어인 일로?
이 무렵 대원군은 법무협판 김학우 피살사건으로 장손 준용이 교동도에 유배 중이었기에
할아버지!!
교동도
큰 불만을 품고 공덕동 별장에서 외출도 않고 칩거하고 있었어.
사람 사는 거야?
공덕리
그러나 시기에 찬 무리들의 질투는 그치질 않아 유언비어가 사방에 가득했어.
분명 또 뭔가 하고 있을 거야.
유언비어의 내용은 대원군이 김홍집과 밀통하고 있고
철원에 있는 도적떼와 모의를 하고
…
또한 자객을 보내 정당인들을 모살하려 한다는 거였어.
…
누가?
그런 다더라.
그래서 많은 사람들이 공덕리를 위험 지역으로 보고 경계하고 있었어.
공덕리
저기 가면 다친다!
위험
이런 때에 오카모토가 대원군을 찾아가 난국을 타개하고 왕실을 일으키려면 대원군이 다시 정치 일선에 나서야 한다고 여러 차례 설득하였어.
대원군 뿐입니다.
아무래도 그렇지?
여러 번 거절하다가 결국 수락하여 대원군은 일본의 꼭두각시가 되고 말았던 거야.
좋아, 내가 나서 주지!
걸려 들었다.

8월 19일 아침 스기무라는 총리 김홍집과 외상* 김윤식을 몰래 찾아가 음모를 같이할 의향을 떠봤어.
하지만 사직을 결심한 두 사람은 별다른 반응이 없었어.
스기무라.
….
그런데 마침 군부대신 안동수가 일본 공사관을 찾아가
일본공사관

*외상 – 외무대신

훈련대를 해산하려 한다는 말을 했어.
훈련대와 경찰이 또 충돌해서 오늘 저녁에 훈련대를 해산하려 합니다.
이때 별실에서는 우범선(훈련대 대대장)이 미우라를 방문하고 있었어.
우범선은 사태가 급박하다며 즉시 거사할 것을 주장했어.
할 거면 빨리 합시다.
사태가 절박함을 느낀 미우라는 즉시 오카모토를 불러 일본인 60여 명을 데리고
대원군을 궁(경복궁) 안으로 맞아들였어.
대원군은 오늘의 거사는 실력 행사로만 그쳐야 한다고 말했어.
궁중에서의 폭행은 허락할 수 없소.
일본인들은 승낙하는 척했어.
물론이죠!
하이!
날이 샐 무렵 광화문에 도착하여 근정전으로 직접 들어갔어.
궁궐의 수비병들이 제지하는 과정에서 약간의 사상자가 발생했어!

연대장 홍계훈이 달려와 큰 소리로 이들을 꾸짖다가 일본병에 살해 되었어.
오카모토 일행은 임금과 황후가 있는 전각까지 이르렀어.
일본군은 임금을 향해 육혈포*를 발사하고
탕

*육혈포 – 탄알을 재는 구멍이 여섯 개 있는 권총.

어전에서 궁녀들을 구타하였고 궁내부대신 이경직 또한 일본병사의 칼에 죽임을 당했어.
다른 곳에서 일본인들에게 잡혀 끌려온 왕태자는, 칼을 들이대고 황후의 처소를 말하라는 협박을 당했으나 급히 임금이 있는 곳으로 몸을 피했어.
아바마마!!
오카모토 일행 중에는 장교도 있었어. 장교는 병사들을 정렬하고 포위하여 문을 부수도록 명령하고 명성황후를 찾아 살해하도록 했어.
폭도들 중 두세 명이 두목 한 사람의 지휘하에 칼을 빼어들고 옥호루**로 돌입했고

**옥호루 – 명성황후가 있던 곳.

밀실을 찾아내어 궁녀들의 머리카락을 잡아 끌며 명성황후가 어디 있는지를 캐물었어.
이들이 대답하지 않자 방방마다 찾아다니며 수색해서
드륵!
깊은 방 안에 있던 명성황후를 찾아냈어.

자객들은 명성황후를 끌어내어
칼로 내리쳐 현장에서 살해했어.
자객들은 명성황후를 죽이고 나서도
궁녀들을 끌어내 명성황후 시체가
맞는지 물었다고 했어.
맞아?
거기에 그치지 않고 명성황후의
시신을 비단이불에 둘둘 말아 정원
깊숙한 곳으로 옮겨
석유를 뿌리고 불태웠어. 정말 참담한 일이야.
명성황후가 정치를 잘했건 잘 못했건 우리나라의 국모인데
다른 나라의 자객에게 이토록 비참히 살해당한 거야.
을미사변(1895년 8월 20일)이
일어난 다음 날 21일 미우라 공사는
뻔뻔하게 우리나라 외무대신에게
외교공문을 보냈어.
미우라
자신들은 그런 병란이 일어난 것을
임금이 사람을 보냈을 때 알았고
자신들이 궁에 도착했을 때는
수비대가 진압하여 안정을 되찾은
뒤였다고 말했어.
그리고 훈련대 병정들이 대궐 앞에
엎드려 억울함을 호소하려 하자
우리가?
훈련
시위대와 경무관이 저지하는 과정에서
이런 병변이 일어나게 된 것 같다는
말도 안 되는 변명을 뻔뻔하게 한 거야.
내가 볼 때
그렇더라니까!
을미사변이 일어난 후에도
임금은 일본의 눈치만 보는
실정이었어.

1895년 8월 23일 임금은 조칙*을 발표했는데,
아-아- 백성 여러분
황후 민씨가 외척을 끌어들여 정치에 관여한 것을 반성하길 바랐는데
반성은 하지 않고 사변이 일어나자 임금을 두고 피하는 것이 임오군란 때와 마찬가지로 찾아도 나타나지 않으니

*조칙 – 임금의 명령을 일반에게 알릴 목적으로 적은 문서.

덕이 부족하고 죄악이 넘쳐 황후를 폐하여 서인으로 한다는 내용이었어.
황후를 폐서인 한다!
이런 조칙에 왕태자가 조칙을 거두어 줄 것을 청하여
아바마마.
그 효성으로 서인 민씨에게 빈의 칭호를 특별히 하사한다고 발표했어.
빈이면… 후궁 아냐!
일본 공사 미우라는 이번 조치가 비록 종사와 백성을 위한 뜻에서 나온 용단이라 하나 이처럼 불행한 일을 당한 것을 애석하게 여긴다고 했어.
가증스런…
참 애석한 일이오….
미우라는 그 후 왕비 시해를 주동한 책임으로 해임된 뒤에 히로시마 감옥에 구금되었어.
훗… 잠깐 쉬었다 갈까.
그리고 증거가 부족하다는 이유로 무죄판결이 났어.
짜고 치는 고스톱이야. 잘 쉬다 간다.
좋아!
무죄!
미우라 후임으로는 고무라 공사가 왔어.
미우라
고무라
이때 우리 정부는 훈련대를 해산하려 했지만 일본의 간섭을 걱정해 실행하지 못했어.
훈련대

을미사변 후 각국의 공사는 이러한 조치가 임금의 순수한 뜻이라고 믿을 수 없다며 미국 공사관에서 회담을 가졌어.
그 결과를 우리 정부에 통고했어.
1. 경성주둔 일본군의 수를 감축할 것.
2. 각국의 모든 군대를 주둔시킬 것.
3. 대원군을 문책할 것.
4. 관계대신을 처벌할 것.
5. 황후를 복위시킬 것.
김홍집, 유길준 등이 이 사실을 알고 대원군에게 자수할 것을 청했어.
대감~
대원군은 "본인의 생명은 나라에 맡겼으니 종사를 위한다면 어찌 목숨을 아끼겠는가."라며 당당히 버텼어.
….
하는 수 없이 대원군은 그대로 놔두고 관계대신 조희연과 권형진 등을 면직하는 데 그쳤어.
면직
박은식은 국모의 복수를 주장한 사람들도 불순한 의도가 있다고 했어.
국모의 복수를!
복수를 주장한 사람들은 러시아 세력을 빌려 친일파를 제거하고 정권을 차지하려는 의도가 있었던 거야.
이 참에….
그 일행에 이완용 일파가 가담해 있었거든. 오로지 정권획득의 방편으로 복수라는 것을 이용한 것이라 했어.
이완용 일파는 이리의 마음과 까마귀의 심보를 가져 마음속에는 임금과 부모도 없는데 어찌 국모가 심중에 있겠는가.
이렇게 국모가 시해되어도 처벌조차 제대로 못하니 국민들의 분노가 높아지고 있었어.
이게 국가냐?
그런데 정부는 개혁 · 개화 정책을 너무 급진적으로 실시하여
개혁
개화
국민들은 이를 '왜(倭)행정'이라며 반감을 가졌어.
이기 다 왜놈들 좋으라고 하는 거 아이가?
맞다!

예를 들어 11월에 태양력을 시행했어.
양력
양력? 농사지으려면 음력을 써야 하는데?
그래서 을미개혁에 맞추어 1895년까지 일어난 사건의 날짜는 음력을 사용하고
1895 1896
여기까진 음력으로 기록.
1896년부터의 사건의 날짜는 양력을 사용해.
1895 1896
양력
박은식도 그렇게 사용했어.
칙령이 그러하니 나도 양력으로 기록해야지.
연호도 건양으로 바꿨어.
올해는 병신년이 아니라 건양 원년. 내년은 건양 2년이 되는 거다.
그래서 1896년은 병신년인데 건양 원년이야.
여기서 더 나아가 내무대신 유길준이 단발령을 내리고 지방관과 순사에게 촌락을 돌아다니며 강제로 머리를 깎게 했어.
당시 우리 사회는 부모에게 물려받은 몸을 훼손하는 일은 있을 수도 없는 일이었어.
신체발부는 수지부모라는데!
불난 곳에 기름을 부은 기세로 다시 민중의 분노가 끓어올랐어.
충청도 제천의 유인석이 주도하여 의병이 일어났을 뿐 아니라 전국적으로도 의병이 일어났어.

명성황후와 흥선대원군

1. 명성황후와 대원군

▲
사실 확인이 되지는 않지만 명성황후 초상화라고 해.

두 사람은 며느리와 시아버지의 관계를 떠나 정치적 라이벌이었다고 할 수 있어. 《한국통사》에서는 명성황후에 대해서는 부패정권에 대한 부정적 평가를, 대원군에 대해서는 긍정적 평가를 했어. 물론 대원군을 비판하지 않았다는 것은 아니야. 《한국통사》가 개인의 역사관을 반영한 책인만큼 박은식의 평가가 반영되었다는 것이지. 대원군에 대해서는 쇄국정책을 하기는 했지만 아직 나라의 힘이 부강하지 못했기 때문에 펼친 정책이고, 대원군이 집권에서 물러나고 임오군란으로 잠깐 정권을 잡았지만 청으로 압송되었다고 안타까워했어. 임오군란 중 국장령을 선포한 것이나 명성황후 살해사건에서 허수아비 노릇을 한 것을 비판하기는 했어. 명성황후에 대해서는 잘했건 잘못했건 나라의 국모가 살해당했다고 안타까워한 것이 다야. 잘했다는 칭찬이 없지.

그런데 일본이 명성황후 시해로 조선을 침탈하는 것에 유리하다고 판단했을 정도로 명성황후는 뛰어난 외교적 수단가이자 정치가였어. 명성황후는 임오군란(1882년) 때 청나라에 의지하여 대원군을 청으로 압송해서 다시 정권을 잡았어. 그리고 문호개방을 통해 문물을 받아들여 근대적으로 개화하려고 노력했지. (그 와중에 민씨 정권에 부정부패가 있었던 것은 사실이야.) 동학농민운동으로 인해 청일전쟁이 일어나고 일본이 승리하게 됨에 따라 청의 영향력은 줄었지만 일본의 내정간섭이 심화됐어. 명성황후는 그때 유럽이나 러시아를 이용하여 일본의 영향력을 줄여보고자 노력했어. 그래서 을미사변이 일어났을 당시 궁궐시위대 교관인 미국사람 다이, 러시아사람인 사바틴이라는 건축기사가 궁에 머물고 있기도 했지. 그러다 보니 일본은 그런 명성황후의 외교정책을 눈엣가시처럼 생각했던 거야.

일본은 조선을 침탈하기 위해서는 국모를 척결해야겠다고 판단하고 한 나라의 국모를 '여우사냥'이라고 이름 붙여 시해했던 거야. 정말 슬픈 일이지. 을미사변에 얼굴마담 역할을 했던 사람은 대원군이야. 대원군은 일본군이 명성황후를 살해할 것까지는 몰랐다 해도 일본군과 같이 경복궁에 입궐했고, 명성황후가 죽은 다음에는 정권을 잠시 잡기도 했어. 이재면을 궁내부대신으로 임명하기도 하고 말이야. 고종이 권력의 핵심이 되는 것은 이때부터야. 고종은 명성황후 시해사건에 개입된 대원군을 용서할 수도 없었고, 일본은 더더욱 믿음이 안 가 러시아 공사관으로 아관파천(1896년 2월 11일)을 결심하게 된 거야.

▲
명성황후 조난지비
(경복궁 안에 있어.)

▲
일본 궁내청 황실도서관에서 보관하고 있는 《명성황후국장도감의궤》. 겉표지는 붉게 물들인 마로 만들었으며 가운데 아래 '오대산 상'이라는 소장처 표시가 뚜렷하게 보여.

2. 명성황후의 슬픈 장례식과 대원군의 쓸쓸한 죽음

1895년 8월 20일 명성황후가 시해되고 두 달 가량 지나서 10월 15일 국장령이 선포되었어. 그런데 국장은 바로 거행되지는 못했어. 혼란스러운 정국에 아관파천(1896년 2월 11일)까지 겹쳐 국장이 거행되지 못했던 거야. 1897년 2월 20일 다시 경운궁으로 환궁했지만, 바로 국장이 거행되지는 못했어. 1897년 10월 21일 대한제국을 선포하고 '명성황후'라고 칭호를 내렸고, 미루고 미루던 국장을 1897년 11월 21일 서거 2년 2개월 만에 거행하였던 거야. 이날 경운궁에서 홍릉에 이르는 길가에는 많은 군중이 모여들었고 모두가 슬퍼했다고 해. 비운에 간 명성황후의 슬픔을 하늘도 아는지 천둥번개와 함께 진눈깨비가 내리기도 했대. 황태자와 고종황제도 몹시 슬퍼했지. 이 국장의 기록을 담은 기록이 있는데 그것이 《명성황후국장도감의궤》야. 명성황후를 시해한 일본은 그 슬픈 국장의 기록마저 가져갔어. 그래서 지금 되찾기 운동을 하고 있는 중이란다.

명성황후의 죽음이 비참했고, 국장은 전 국민을 슬프게 했다면 대원군의 최후는 아들마저 외면하는 쓸쓸한 죽음이었어. 파란만장한 생을 산 대원군은 1898년 2월 2일 향년 79세를 끝으로 운현궁 사저에서 별세했어. 고종황제는 장례행사를 간소하게 치를 것을 명하고 자신은 직접 참석하지 않았다고 해. 명성황후 시해사건에 대원군이 연루되어 허수아비 노릇을 한 것을 용서할 수 없었던 거야. 고종은 명성황후가 죽은 다음 다른 황후를 책봉하지도 않았어. 대원군은 임종에 앞서 장남 재면에게 주상(고종황제)을 보았으면 죽어도 한이 없겠다고 몇 번이나 말했으나, 재면은 황제가 동생이기는 하지만 자신도 명성황후를 죽인 을미사변에 개입된 처지라 고종에게 연락할 엄두를 못 냈지. 대원군은 마지막 순간에 "아직도 주상이 거동하지 않으셨느냐?"고 묻고 긴 한숨을 내쉬며 숨을 거두었다고 해. 대원군도 명성황후와 정치적 라이벌이긴 했지만 을미사변 후엔 운현궁에 칩거하면서 자책감에 시달렸어.

▲
김구

명성황후 시해와 관련해서 국민의 복수심은 들끓었지. 독립운동의 정신적 지주였고 대한민국임시정부 요인으로 활약한 김구 선생님이 독립운동의 길에 들어서게 된 것도 1896년 2월 국모의 복수를 위해 을미사변에 관련된 일본군 중위 쓰치다를 살해하면서부터라고 할 수 있어. 안중근 의사도 이토 살해 이유를 침략의 원흉이며 한 나라의 국모를 살해한 이유 때문이라고 말하기도 했어.

제8장
민중계몽을 위해 노력한
민중단체 - 독립협회
문립독
문 신 립독
박은식은 우리나라의 민중단체 가운데서 가장 활발한 활동을 한 단체가 셋이 있었다고 했어.
1894(갑오년)동학당
1897(정유년)독립협회
1904(갑진년)일진회
동학당은 먼저 이야기했듯이 동학란을 일으켰다가
동학당
동학농민운동으로 발전했지.
그리고 일진회는 우리나라를 일본에 넘기는 데 일조한 매국단체야.
일진회
일본 짱!
그중 박은식이 아쉬워한 민중단체는 독립협회였어.
문신 립

을미년 일본이 국모까지 시해하는 사건이 일어나자 위협을 느낀 임금은 러시아와 손을 잡아볼까 생각했어.
그래서 1896년에 이범진, 이완용, 이윤용 등이 러시아 공사관에 숨어서 통역 김홍육의 중개로 러시아 공사와 결탁하여 임금의 거처를 러시아 공사관으로 옮기고 정국을 뒤바꿀 계획을 세웠어.
12월 11일 새벽 러시아 공사 베베르*가 병사 50명을 파견했어.
임금은 궁녀들이 타는 가마에 몸을 숨기고 시종 수십 명만 데리고 정동의 러시아 공사관으로 거처를 옮겼어.

*베베르(Veber) – 제정 러시아 외교관. 1884년에 조선공사에 임명되어 통상조약을 체결하였다.

그 과정에서 총리대신 김홍집이 경무청 문앞에서 살해를 당하고
영욕의 세월이 이렇게 끝나는구나!
내부대신 유길준은 연행 도중 일본병사들 틈에 뛰어들어 간신히 목숨을 건져 일본으로 도피했어.
이 소식을 들은 탁지대신 어윤중은 탁지부로 뛰어가 장부와 서류를 부하에게 인계하고
인수인계 끝났지? 난 떠날란다.
고향인 보은을 향해 떠나다 용인 근처에서 난민들에게 피살되었어.
어윤중은 성격이 강직하고 일처리도 강하게 잘 처리해 경골지신이라 불렸는데 억울한 죽음을 당하니 사람들이 애석하게 생각했어.
쯧쯧.
임금이 거처를 러시아 공사관으로 옮긴 사건을 '아관파천'이라고 해.

사건 후 윤용선이 총리대신이 되고 이완용이 외부대신, 안동수가 탁지대신이 되었어.
통역관 김홍육은 러시아 세력을 등에 업고 제멋대로 권세를 휘둘렀어.
내 뒤에 누가 있는지 알아?
아관파천이 이름만 복수를 위한 거지 실제로는 권력찬탈이었어.
권력
국모의 복수
더구나 이완용 일파가 국모복수를 빙자해 국왕을 외국 공사관에 가두고 셋방살이를 하게 만들었으니 이는 국가의 체면을 손상시키는 것이야.
이런 부끄러운 일이!!
한일합병의 주범인 이완용은 아관파천부터 이미 국권을 스스로 팔아버린 것이며 국사를 위험한 상황에 빠지게 한 거야.
사건 후 새 정부는 러시아 세력을 빌려 친일파를 제거했어.
퍽
일본인 각부 고문과 병사를 훈련시키던 일본인 교관을 모두 파면하고 러시아 장교 20여 명을 초빙하여 훈련을 맡겼어.
가!
러시아 군수품을 구입해 실어오고
블라디보스토크
중강진
함흥
러시아어 학교를 설립해 생도들을 교육했고
경성에서 원산 간의 전선을 시베리아 선에 연결해서 통신을 편리하게 했어.
시베리아
원산
경성
정부 당국을 전부 친러파가 차지하니 러시아 세력은 하늘을 찔렀어.

국왕의 셋방살이로 새로운 실세가 된 이완용은
이젠 내가 실세!
먼저 미국에 평안도 운산의 금광 채굴권과 경인철도 부설권을 허가했어.
허가
허가
러시아에는 함경도 무산지방과 울릉도 목재 벌채권을 주었어.
허가
허가
영국에는 평안도 은산의 금광을 주었어.
독일에는 강원도 금광을 주었고 프랑스에는 경의철도 부설권을 나눠 주었어.
그 후 경인철도 부설권과 울릉도 관계 사업은 일본이 선점한 것이라 항의해 일본이 가져갔어.
내거야!
경인철도
울릉도사업
열강들에게 고루 나누어 주면서 세력균형 정책으로 우리나라를 지키려 했던 거야.
돈 줄게. 나 때리지 마.
하지만 열강들은 우리나라의 부강에는 관심조차 없었어.
살려줘!
맛있다!
열강들은 일본이 1910년 합병을 하자 우리나라에 대한 안타까운 마음은 커녕
이제 조선은 일본의 식민지 입니다.
일본이 한국에서의 이익을 계속 준다고 허락하니 모두 기뻐했어.
이익은 계속~ 쭈욱~
일본 멋져!
자국의 이익에만 관심 있고 양심이 없던 열강 덕분에
제국주의
우리가 생각했던 세력균형 정책은 물거품이 되었어.
세력균형

임금은 러시아 공사관에서 기거한 지 1년 만인 1897년 정유년 정월에 정동의 경운궁(현 덕수궁)으로 환궁했어.
大漢門
번듯한 내 집 두고 이 무슨 고생인가!
왕을 더 이상 다른 나라 공사관에 모셔둘 수 없다는 여론과 러시아가 가장 강력한 영향력을 행사하는 것을 꺼려한 다른 열강들의 압력으로 이루어진 것이지!
환궁한 고종은 자주적인 개혁을 하고자 해.
정신 바짝 차리자!
우선 황제의 칭호를 사용하고 국호도 '대한'으로 바꾸었어.
조선
대한
연호를 건양에서 광무로 바꿔 독립제국으로서 각국의 승인을 얻었어.
인정!
광무
국제사회
1897년은 광무 원년이고 고종의 개혁을 '광무개혁'이라고 해.
광무개혁
광무 원년 1897년
국왕의 권한을 확장하여 궁내부 관제를 다소 개정했으며
황제라는 칭호만 봐도 알겠지?
지방을 13도로 나누었어.
함경남북도
평안남북도
황해도
강원도
경기도
충청남북도
경상남북도
전라남북도
게다가 고종임금은 고종황제가, 우리가 지금까지 '명성황후'라 불렀던 명성왕후도 명성황후가 되는 거야.
광무개혁은 '구본신참'의 원칙 아래 1897년부터 1903년 무렵까지 진행되었어.
舊本新參 구본신참 – 옛것을 근본으로 삼고 새것을 참고한다.

대한제국이 선포될 무렵
서재필은 독립협회를 창설했어.
독립협회
서재필은 전에
갑신혁명당이었어.
갑신정변의 개화당 말이야.
박영효
서광범
서재필
김옥균
갑신정변 때 일본으로 망명했다가
일본이 냉대하자 미국으로 망명해서
10년간 미국에서 생활하며
워싱턴 의대를 졸업해 한국인
최초로 양의사가
되었어.
워싱턴의대
1894년(갑오년) 고국으로 돌아와 정부의 지원금을 받아 《독립신문》을
발행하고 독립협회를 창설했어.
조국의 자주 독립을 위해 일하겠어!
문 신 립 독
THE INDEPEND
서재필은 나라의 독립을
중요하게 생각했어.
국가가 없이는 나도 없어!
조선시대 때 청나라 사신을 맞이하고
대접하던 장소인 모화관을 독립관으로
바꾸고 독립협회 집회장으로 사용했어.
독립관
모화관 앞의 문인 영은문을 헐고
그 자리에 독립문을 세웠어.
독립문은 독립정신의 상징이야.
서재필은 오랜 미국생활로 미국식 사고방식을 갖고 있었어.
《독립신문》에는 논설활동으로, 독립협회에서는 토론회 · 연설회 등을
통해 평등주의 사상으로
계급타파에 노력했어.
사람 사이에 귀하고 천함은 없습니다. 모두 평등합니다.
그러나 우리나라 관습과 자주 충돌했고
무슨 해괴한 소리냐? 상것들과 양반이 같다니!

논설로써 집권층을 공격하자
평등주의
위정자들은 질시하여 외국인이라 부르고 국외로 추방했어.
외국의 사상이 그리 좋으면 외국 가서 살아라!
추방
고종황제의 광무개혁은 왕권 강화가 목적이었기에,
왕권강화
광무개혁
급진적이었던 계급타파와 평등주의와는 충돌할 수밖에 없었던 거야.
계급타파
평등주의
왕권강화
이 시기에 미국 선교사 아펜젤러*가 한성에서 배재학당을 개설해 청년들을 교육했어. 성적이 우수한 윤치호, 이승만, 안창호 등이 이 학당 출신이야.
서재필이 미국으로 떠난 뒤 이승만 등이 계속해서 독립협회를 이끌어 갔어.
독립협회
애국지사들의 호응으로 독립협회의 세력은 떠오르는 해와 같았어.
독립협회
하지만 너무 급진적이었기에 정부와 계속 마찰을 빚었지.
빨리 가야지!
천천히 갈 건데
독립협회는 자주국권, 자유민권, 자강개혁을 주장했어.
자주국권은 열강에 이권을 나눠준 이완용의 처벌
자유민권은 국민의 신체와 재산보호, 언론과 집회의 자유
자강개혁은 의회설립을 이야기했어.
자주국권 · 자유민권 · 자강개혁
특히 군부대신 민영기는 독립협회를 가장 증오하여 이를 없애고자 했어.
없애 버려야 돼!
독립협회

*아펜젤러(Appenzeller 1858~1902) – 미국의 선교사, 교육가.

길영수, 홍종우 일파가 보부상의 무리를 이끌고 '황국협회'를 만들어 민영기에게 동참을 권했어.
황국협회
들어와.
민영기
황국협회는 독립협회의 회원을 기습해 몽둥이로 때려 유혈사태가 벌어지는 등 곳곳에서 참극이 발생했어.
각료대신 가운데 단지 내부대신 민영환만이 독립협회를 비호하다가
인권은 중요한 거야.
민영기의 공격으로 해임되었어.
독립협회와 생각이 같은 거요?
정부 대신들은 백방으로 독립협회를 방해하고 심지어 병력까지 사용했어.
독립협회
결국 이승만이 투옥되자 협회도 파괴되었어.
독립협회는 토론회나 연설회를 개최해 민중계몽운동을 하는 민중을 대변하는 사회단체였는데
독립협회가 파괴되었으니 여론이 단절되었어.
누가 우리를 대변해 주나!
바른 말을 하는 신문이 없다.
당시 조정대신과 관리들이 여론단체인 독립협회를 탄압한 이유는
독립협회
자신들의 이익을 도모하는 데 방해가 되었기 때문이야.
평등이 말이 돼?
독립협회
진실·평등
집권자들은 부정부패와 아첨을 일삼고
권력이 너무 좋아!
나라의 힘을 키우는 것이 아니라 외세의 눈치를 보느라 급급했어.

집권자들은 황제가 거처하는 경운궁이 각국 공사관 구역에 있음을 유일한 안전의 기본으로 여기고 외국에 의존하는 것을 독립이라고 말하고 있었던 거야.
경운궁
우린 독립국이야!
일본은 독립협회에 대해 처음에는 동정을 표시했어.
고생 많지?
웬일이야?
러시아가 절영도를 빌려 태평양 함대의 석탄 저장소로 사용하려는데
빌릴게.
절영도
독립협회가 이를 반대했거든.
만민공동회 집회
반대한다
반대!
그러자 일본이 기뻐하며 독립협회를 지원하는 듯 보였어.
뭐 필요한 거 없어?
독립협회
그런데 러시아 함대가 절영도를 떠나자 안면을 바꾸고 독립협회를 탄압했어.
첨부터 맘에 안 들었어.
퍽
뭐야?
일본은 독립협회를 잠시 이용해 동정하는 듯했지만,
독립협회
만일 독립협회의 입지가 커지면 일본의 행동에도 불리할 거라 계산했던 거야.
박은식은 독립협회의 실패를 무척 안타까워했어.
개혁정신은 높이 본받을 만한 것인데!
하지만 독립협회의 지식의 기초 또한 깊지 못하고 조잡했고
더 깊게 팠어야지.
성급히 날뛰어 성공하지 못한 것이라 생각했어.
세상은 한순간에 바뀌지 않아.
시간이 필요해.
바꿔버리자!

박은식은 우공이산과 과부축일에 대해 이야기했어.
우공이산
과부축일
우공이산은 늙고 힘없는 우공이 자손을 위해 산수와 전답을 물려주기 위해 산을 옮기고 밭을 일구는 데 근근이 노력하여 마침내 성공했다는 이야기야.
과부축일이란 과부라는 거인이 튼튼한 몸과 강한 힘을 믿고 세상을 덮을 만한 권세를 얻고자 해의 그림자를 좇다가
목이 말라 죽게 되었다는 이야기야.
박은식은 당시의 우리 민족에게는 두 가지 병폐가 있는데
하나는 연약하고 완만하여 용기 있게 나아가는 기개가 없이 모든 일에 위축되는 것이며,
무서~
또 하나는 경솔하고 조급하여 견실한 역량도 없이 헛되이 허영만 꿈꾸는 것이라 했어.
이거 마라톤이야.
내가 챔피언!
독립협회는 원래부터 강한 힘도 없이 빨리 이룰 생각만 했으니 실패한 것이라며 안타까워했어.
10리를 가기 위해선 하루치의 식량이면 되지만 1,000리를 가려면 석 달치의 곡식과 힘이 필요하지.
박은식은 이 일을 거울삼아 우리 민족의 병폐를 고쳐야 한다고 했어.
독립협회

이때 정부에는 영국사람
브라운이 재정고문으로
있었는데
Mr 브라운
러시아 공사가 우리 조정에
건의해서 러시아사람 알렉세예프*로
바꿨어.
브라운
알렉세예프
러시아는 더 나아가 경성에 한러은행을
설립하여
한러은행

*알렉세예프(Alekseev) – 제정 러시아의 제독.

한국의 재정과 경제기관을
장악하고자 했어.
재정
경제기관
1897년 12월 27일 브라운을 해임하자 영국이 동양함대를 파견해 인천에
정박시키고 영사가 장교 한 명과 수병 열 명을 거느리고 경성에 왔어.
우리 정부가 두려워 브라운을 해관 총세무사에 임명하고 정 2품
금보관 훈위를 특별히 하사해 영국의 분노를 달랬어.
흠.
훈장도
주잖아!
러시아도 다른 열강들에 밉보여 세력이
좀 주춤해졌어.
험…
좀 쉴까.
브라운의 해임은 우리에게
막대한 손해를 주었어.
계산서
적자
브라운은 능력 있고 착실한 재정
고문이어서 궁중과 각 관청에서 꼭
필요한 경비 이외에는 지출을 허락하지
않았지.
이런 일에
국고를 쓴단
말이오?
안 돼!
그래서 일본에 빌린 삼백만 원을
1년 사이에 모두 갚았어.
이제 빚
없지?

브라운이 해임될 수 있었던 것은 궁중의 탐관오리들이 마음대로 비용을 쓰지 못하는 것에 불만을 품고 해임에 동조했기 때문이야.
해임 하소서!!
러시아 고문은 브라운과 전혀 반대로 마음껏 지출하게 하니
막 써!
수개월 만에 탁지부의 금전이 바닥났어.
쓸 돈이 없는데!
독립협회는 해산되기 전에 이 러시아 재정고문을 해임시키는 데 성공했어.
재정고문 철수하라!
만민공
만민공동회를 열어 러시아 재정고문단을 철수시키고 한러은행도 철폐시키는 성과를 올렸어.
한러은행
한편 러시아는 중국 문제로 영국과 충돌했어.
중국
러시아가 뤼순, 다롄을 중국에서 빌려가는 문제 때문이었어. 영국도 만주에 욕심이 많았잖아.
만주
다롄
뤼순
그래서 만주경영에 주력할 필요를 느낀 러시아는 조선문제에 대해서는 일본의 호의를 살 필요가 있었어.
흠….
그래서 주일 러시아 공사 로젠이 일본의 외무대신 니시와 일본에게 조선의 경제권을 인정해 주는 협약을 체결했어.
러시아는 조선과 일본 양국 간의 상공업 관계의 발달을 방해하지 않는다. 어쩌구….
이로써 우리나라에서 러시아 세력은 쇠퇴하고 일본의 세력만 커져갔고 추가개항과 시장개방으로 일본의 경제침탈은 심해지기 시작했어.
성진
평양
군산
마산
• 1898년(무술년) 군산, 마산, 성진 개항
• 평양시 개시장*

＊개시장 – 고려~조선 시대에, 다른 나라와의 통상을 허가하였던 시장. 중강진, 평양 등에 있었다.

서재필과 신문의 발간

1. 서재필과 독립협회

▲
서재필

서재필(1864~1951)이 조국을 생각하는 마음은 만감이 교차했을 것 같아. 서재필의 일생을 보면 이것이 무슨 말인지 알 수 있을 거야. 그는 1864년 대구서씨 명문가에서 태어나 열네 살에 과거에 급제해 일찍부터 박영효, 홍영식과 어울리면서 개화사상에 눈뜨게 되었어. 1882년 임오군란을 목격하면서 국방력의 근대화를 절감하여 일본 도야마 육군학교에 유학했고, 귀국 후 국왕에게 사관학교 설립을 건의해서 조련국을 설립했지. 서재필이 일본유학을 마치고 동료 14명과 함께 귀국하자 김옥균 등 개화당은 크게 기뻐하며 정변의 구체적인 실행을 결심하게 되었다고 해. 서재필은 갑신정변에서 자신이 세운 사관학교 생도들을 이끌고 무력행동을 총지휘했고, 삼일천하 동안에 병조참판을 맡기도 했어. 그래서 정변 실패 후 평온했던 한 인재의 일생에 어두운 그림자가 드리워진 거야.

갑신정변에 참여했을 때가 갓 스물, 젊은 열정으로 참여했는데 정변 실패 후 가족이

멸문지화(한 집안이 멸망하여 없어지는 재앙)를 당했어. 부모, 형, 아내는 역적으로 몰려 자살했고, 동생은 참형되었으며 두 살 난 어린 아들은 굶어 죽었어. 당연히 조국에 대해 증오감을 품지 않았을까? 서재필의 이런 마음을 엿보게 하는 것이 있어. 서재필은 정변 실패 후 일본에 망명했다가 일본 측의 냉대로 미국으로 다시 망명을 했어. 조국에 실망한 서재필은 10여 년 동안 미국에서 망명생활을 하면서 철저한 미국사람이 되었다고 해도 과언이 아니야. 미국에서 공부하여 의사가 되었고 미국사람과 결혼하고 이름도 필립 제이슨으로 바꾸고 미국사람으로 귀화했어.

▲
독립의 상징으로 독립협회가 세운 독립문

1894년 갑오개혁이 이루어지면서 갑신정변으로 인한 역적의 죄명이 벗겨졌어. 그래서 망명 중 미국에 들른 박영효의 권유를 받아들여 1895년 12월에 귀국했어. 귀국해서 《독립신문》을 발간하고(1896년 4월 7일) 1896년 7월 2일에는 독립협회를 창설했지. 그때도 자신의 이름은 필립 제이슨이었어. 서재필은 자신의 불행에 비추어봐도 조국의 문명이 뒤떨어져 문명개화를 해야 한다고 생각했던 거야. 그래서 민중계몽에 앞장섰던 것이고 미국의 자본주의 논리로 《독립신문》을 발간하면서 거액의 보수를 받기도 했지. 급진적 민중계몽가였던 그는 결국 견책을 받아 1898년 5월 다시 미국으로 돌아갔어.

서재필의 조국에 대한 애정을 엿볼 수 있는 것은, 다시 미국으로 돌아가서 한 일이야. 그는 회사를 경영하고 자금을 모아서 독립운동을 지원했지. 정말 애증이 교차하는 것 같지? 대한민국이 광복되고 미군정하에 있을 때 잠깐 미군정청 최고정무관이 되어 귀국하기도 했어. 하지만 서재필은 1948년에 다시 미국으로 돌아가서 1951년에 사망했어.

독닙신문
THE INDEPENDENT

▲
《독립신문》

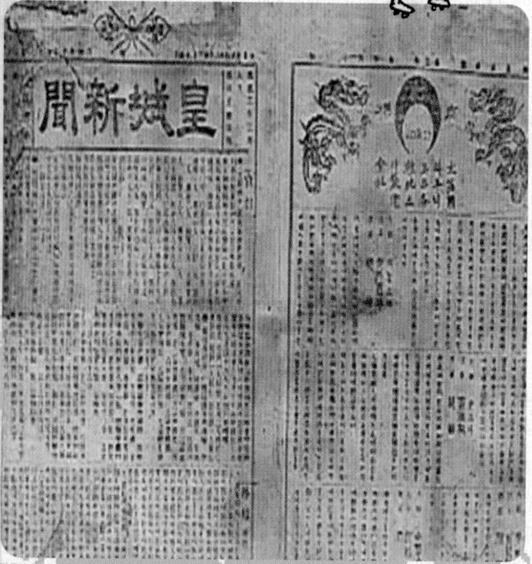

皇城新聞

▲
《황성신문》

2. 신문의 발간

이 시기에는 많은 신문들이 발간되었어. 어떤 신문들이 발간되었는지 알아보자.

독립신문

1896년 4월 7일 《독립신문》이 창간되었는데 《독립신문》은 인민의 눈과 귀를 개명시킬 것을 창간목표로 내걸고 순한글로 제작했어. 정부지원으로 서재필이 만든 신문으로 《한성순보》 이래 우리나라에서 두 번째로 발행된 거야. 신문의 4면 중 한 면은 영어판을 만들어 외국인들에게 한국의 사정을 알리기도 했어. 《독립신문》은 1899년 12월 4일 제4권 제278호를 마지막으로 폐간되었어. 신문사와 인쇄시설은 정부가 서재필로부터 4천 원에 매입했다고 해. 대한제국 정부가 1898년에 독립협회 해산 이후 급진적인 내용을 담고 있던 《독립신문》의 폐간을 끈질기게 추진했던 거야.

황성신문

1898년 9월 5일 우리나라 신문사상 최초로 합자회사(무한 책임 사원이 사업을 경영하고, 유한 책임 사원이 자본을 제공하는 형식으로 조직된 회사)의 형태로 2,500만 원의 자본금을 마련해 《황성신문》이 창간되었어. 문자는 국한문 혼용이라고 하나 주로 한자를 사용하고 토씨만 한글로 달았어. 주요 임원으로는 사장에 남궁억, 총무에 나수연이 취임했고 장지연, 박은식, 유근 등이 주요 필진으로 활약했어. 1905년 을사조약이 체결되었을 때 장지연이 〈시일야방성대곡〉을 실은 신문으로 유명해.

第二卷 뎨국신문 壹百號

▲
《제국신문》

제국신문

1898년 8월 10일에는 국민계몽과 외세침탈 배격을 내걸고 《제국신문》이 창간되었어. 사장은 이종일로 순한글만을 사용해서 개명과 개화에 앞장섰어. 또 정부의 무능과 관리의 부패 및 외국세력의 국권침투에 대해 날카롭게 비판하기도 했어.

매일신문

1898년 4월 9일 우리나라 최초의 일간신문으로 순한글 《매일신문》이 창간되었어.

제9장 일본의 경제침탈

내 것은 내 것이고
네 것도 내 것이야.
내 건데?

러시아 세력이 주춤하자 일본은 본격적으로 우리나라 경제산업을 빼앗기 시작했어.

일본이 우리나라에서 취득한 권리는 대부분 강제로 한 억지 계약이었어.
도장 찍어.

어떠한 것을 빼앗아 갔는지 살펴보자.

우선 광산을 빼앗아 갔어.

채굴권을 마음대로 가져가고 이를 저지하는 관리들도 마구 구타했어.
오늘부터
우리 거야.

백제의 옛 도시인 위례성 부근에 있는 직산금광이 있어.
직산금광

광산 채굴권을 우리나라 궁내부
에서는 일본에 허락하지 않았지.
줘!
안 됩니다.
그런데 일본은 마음대로 인부 7,750명을 모집하여 일본경찰 두 명과
일본사람 30여 명이 멋대로 광산을 점령한 뒤 가옥을 짓고 본격적으로
채굴작업을 시작한 거야.
뚝딱
뚝딱
좋은 걸….
군수 유병응이 이들을 설득하고
채굴을 금지시키자
일본인들이 인부를 시켜 관리를
구타하고
내쫓았어.
일본공사의 명령이다.
나아가 황해도 수안금광은 1905년
영국과 같이 채굴하기도 했어.
히히, 다 우리 거!
또 어업권과 포경권을 점거했어.
일본인이 어업권을 획득하고 어선이
각 포구를 돌아다니며
조선의 어장을 빼앗았어.
만일 항의하는 사람이 있으면
강제로 배상금을 내라고 했어.
어디서 항의야! 기분 나쁘니까 배상해!
우리 어부들이 정부에 호소했지만
해결이 안 됐어.
어부들이 고기를 못 잡아 굶어 죽습니다.
심지어 이춘만, 김덕삼 등은 어장문제로
싸움을 벌이다 일본사람 칼에
죽었는데도
감히 조사도 못했어.

특히 함경도의 명태어업은 나라의 큰 재산이었는데
함경도
명태
1901년(광무 5년) 이후부터는 일본사람들이 거의 다 잡아갔어.
내것!
오이시! 내것!
1904년(광무 8년) 일본의 신문에 보도된 기사를 보자.
조선해역으로 나가 어업 활동하는 자가 많아 한반도 주요 지점에 일본 어촌이 형성되어 있다.
다시 말해 어촌에서 우리나라 어부들은 사라지고 일본사람 세상이 된 거야.
포경권은 고래를 잡는 권리를 말하는데
처음에는 러시아가 포경권을 가졌는데 일본 공사 하야시가 균등분배를 요구했지.
나! 하야시야~
그러다 결국 1905년(광무 9년) 러시아사람이 경영하던 포경기지도 일본이 점령했어.
스윽~
뿐만 아니라 일본은 우리 송도 인삼을 도둑질했어.
인삼은 우리나라의 특산물로 특히 송도 인삼이 유명해. 또 홍삼으로 만들어 중국에 수출해 많은 수입을 얻고 있었어.
띵호!
홍삼
그런 인삼을 도둑질한 거야.
조선 땅의 귀한 것은 몽땅 가질 거야!
얼마나 심했으면 영국 신문까지 보도했겠어?
일본이 조선의 귀중한 인삼을 도둑질했으며, 내륙행상에도 불법이 많아 조선사람이 시정을 요구해도 전혀 듣지 않고 오히려 조선사람을 처벌하니 일본의 이러한 정책은 자기들이 주장한 조선의 독립을 스스로 파괴하는 것이다.
오우~ 바스타드! Bastard!

일본은 또 울릉도를 마음대로
점령했어.
울릉도는 경상도 앞바다에 위치하고
중앙에 높은 산이 있어서 나무가
울창한 섬이었지.
그래서 일본의 상륙과 벌목을
금지했어.
일본사람
상륙금지
그런데 일본은 배를 타고 와서 마구잡이로 벌목을
했어.
일본인
상륙금지
우리 정부가
돌아가라고 독촉하자
나가시
오!
일본공사 하야시는 본국의 명령을
기다린다며 날짜를 끌었어.
본국에서
나가라고
하면….
그러더니 하는 말이
일본사람들이
수십 년간
거주해서 급히
철수시키는
것이 어려우니
일본사람에게
과세나 하는
정도로 하고
당분간
거주를 묵인해
주지 그래?
마음대로 와서 거주하는
일본사람들을 정부가
소환하지 않는 것이 말이
안 되지! 그만큼 우리 정부가
힘이 없었던 거야.
….
우리 정부가 반박하며 소환하라
고 독촉했지만 소용없었어.
안 들려.
1900년(광무 4년)에는 일본 범선이
흥주 장고도에서 암초에 걸려
파손되었는데
부서진 선체의 판자가 떠다니자
주민이 몇 조각 건져냈어.
땔감으로
써야지.
그러자 하야시는 도민들이 선박을
파손했다며 배상금을 요구했어.
도민이
부쉈으니
배상금 내!

도민 열 명이 경성으로 압송되어 선주와 대질 심문을 벌인 결과 무죄로 풀려났지.
우리 아슈?
누구슈?
그래도 하야시는 1902년에 다시 배상금 3,000원을 요구했어.
배상금 줘야지.
우리 정부에 납부할 세금에서 공제하겠다고 억지를 부리자
세금 안 낸다!
임금이 탁지부에 명하여 3,000원을 지급했어.
드러워! 주고 말자.
전하.
이 무렵 소금장수 김두원이 일본 공사 하야시와 충돌하는 사건도 있었어.
소금
김두원은 원산항의 상인으로 1899년(광무 3년) 울산에서 소금 1,800말을 구입하여 일본사람 기무라의 배에 운반을 의뢰했어.
그런데 기무라가 배를 몰고 도주했어.
이건 내 것! 우헤!
김두원은 전 재산을 탕진했는데 일본 공사는 배상금을 줄 생각도 않고 버티는 거야.
해결해 줘!
그런데 이때 장고도 사건으로 일본이 배상금을 받아내자 김두원은 기가 찼지.
뭐야, 이거?
암초에 걸려 부서진 배도 강제로 배상금을 징수하면서 일본사람이 소금을 훔친 것은 배상하지 않는 거냐?
항의하며 매일같이 외부*에 청원을 올리고 일본 공사를 찾아가 항의했어.
일본공사는 구휼금이라는 명목으로 은화 300원을 외부에 보냈어.
일본측에서 300 원 주던데…
외부

*외부 – 조선시대에, 외국과의 교섭이나 통상을 맡아보던 관아.

김두원은 화가 나 돈을 돌려보냈어.
내가 원하는 것은 소금값인데 구휼금이 웬 말이오?
~그러니까..
그리고 우연히 길에서 일본 공사와 마주친 김두원은 소금값을 요구했어.
잘 만났다!
그러다 거절하는 일본 공사를 발로 걷어차 넘어뜨렸어.
에라, 이 도둑놈아!
퍽
이 일로 일본 공사는 우리 외부에 항의했고
나 맞았어!
김두원은 결국 외국사신을 욕보였다 하여 징역 3년을 선고받았어.
여기가 어느 나라냐!!
국민도 보호 못하는 게 나라냐?
또 월미도 사건이 있었어.
월미도
또?
송정섭이라는 나쁜 사람이 월미도를 개간한다는 구실로 정부의 허가를 받은 뒤
허가권
일본인 요시카와에게 허가권을 팔아 넘겼어.
너 좋고 나 좋고.
개간권을 얻은 요시카와는 월미도 주민을 강제로 철거시켰지.
이 사실을 안 정부가 즉시 송정섭을 체포하고 일본 공사관에 개간권의 반환을 요구했어.
이놈은 사기꾼이오.
하지만 요시카와는 무시하고 계속 주민을 쫓아내고 다 익은 보리를 베어 버렸어.
나가! 여긴 내 땅이야.
내 보리밭이!
일본 정부도 여기에 호응해 일본군 작전상 필요하다며
필요해
민가를 철거하고 섬 전체를 점거해 버렸어.

이뿐 아니야. 전남 진도군의 고하도,
고하도
목포
진도
황해도 강령군의 창암포,
황해도
백령도
강령
온양온천도 일본이 마음대로 점거했어.
말했지? 조선의 좋은 것은 내 거라고!
박은식은 일본이 이런 각종 강탈 사건을 거리낌 없이 멋대로 자행했다며
맛 좋은데.
우리나라를 독립국으로 대우한다면 일어날 수 없는 일이라고 했어.
조선은 독립국이라니까.
국가란 정치, 교육, 법 등을 정신으로 삼고 재정과 군비를 체력 삼아 살아 있는 것이라 했는데
정치
교육
법
재정
군비
우리나라는 국가로서의 자주 능력인 경제력을 상실해서 죽은 나라가 되었다며 한탄했어.
재정
일본은 경제산업을 침탈하는 것도 모자라 아예 돈을 새로 만들었어.
이 돈, 디자인 어때?
제일은행권은 일본사람들이 만든 화폐인데 우리나라에서만 사용한 화폐야.
일본에서는 이런 돈 안 써.
일본사람이 경부철도를 착공하고 돈이 모자라 발행한 화폐였어.
돈이 모자란대!
만들면 되지, 뭐가 걱정이야!
1902년(광무 6년) 액면가 5원짜리 증권들이 시장에 나돌자 이상하게 여긴 사람들이 신고했어.
이게 뭐야?
농상부는 이를 외부로 전해 외상 조병식이 화폐통용을 금지했어.
이게 무슨 돈이야?
외부

그러자 일본공사가 날마다 항의를 하더니
외상 조병식과 합판(차관) 박용화를 사직하게
했어.
사직
시키시오!
그래도 한성판윤
장화식이 통용금지를
밀고 나갔어.
절대
안 돼!
그러자 일본은 손해배상을 청구하고
군함을 파견하겠다고 위협했어.
해볼래?
말로 할 때
들어.
우리나라 상인들이 몹시 격분하여
연설회를 열고 전국에 알리기도 했어.
《황성신문》도 기사를 실어 비판했어.
황성신
아무런 값어치도 없는 종잇조각으로
수천만 원을 만들어 전국의 토지, 광산,
철도, 가옥, 금, 은, 동, 철, 미곡, 가축 등
각종 물자와 자원을 탈취하고
우리나라에 남은 것은 쓸모없는
종잇조각뿐이다.
하지만 힘이 없었던 우리 정부는 일본 공사의
압력에 못 견뎌 상인들의 자유에 맡긴다고
하니 전국에서 통용되고 말았어.
맘대로 해라.
국가가 책임을
백성에게
떠넘기냐!
이 당시 우리나라에서
통용되던 화폐는 백동화야.
엽전이라고 부르는
상평통보도 있었지.
상평통보
백동화의 가치는 엽전 25개에
해당되었는데 제값을 안 주고
제일은행권으로 바꿨던 거야.
25개
=
그러니 우리나라 상인들의
손해가 말도 못하게 컸어.
이걸
어쩌라고!
일본은 중요한 통신기관도 강제로
점령했어.
철도 부설권도 빼앗아 경인선, 경부선,
경의선이 차례로 준공되었어.
경의선
경인선
경부선
우리가
깔았으니까
우리 거다!
조선사람이
다했어!

철도 부설권은 일본이 상품수탈과 군대 수송 등 침략의 도구로 이용하려고 필사적으로 빼앗아 갔어.
원래 경인철도 부설권은 미국이, 경의철도 부설권은 프랑스가 가지고 있었어.
경인철도
경의
일본은 미국에게서 경인철도 부설권을 매수하고
우리한테 넘기면 짭짤하게 해 주겠소.
경의철도 부설권은 러일전쟁 중 군용 철도의 목적으로 강탈했어.
결국 이후로도 모든 철도의 부설권은 일본의 손으로 넘어갔어.
경의철도
경인철도
우편은 1894년 갑오년 이후 일본이 군용이라는 핑계로 부산, 경성, 인천에 우편국을 세웠어.
군용으로 쓰려고.
우편국
또 1899년에 용산에 우편취급소를 세우고 진남포에 우편국을 세웠어.
우편취급소
용산
진남포 우편국
우리 정부는 이제 만국우편을 정부에서 실행하니 일본 우편국은 철수하라고 했어.
이제 그만 철수해.
일본 공사는 우리의 우편업무가 발달할 때까지만 있겠다고 핑계를 대고
그때 까지만.
전주, 평양, 대구에 우편국을 증설해 나갔어.
평양우편국
전주우편국
대구우편국
1904년(광부 8년)에는 일본이 러시아와 전쟁을 하면서 우리 정부에게는 전신국의 암호전신을 금지하고
우리가 우리 전신으로 하는 걸 왜 금지해?
일본군이 우리 전신을 이용해 군사기밀을 통신했어.
왜냐고? 우리가 쓸 거니까!

전보국을 점령하고 전선을 가설하기도 했어.
전보국
일본 기사를 각 전신소에 배치해 일본어로 전문을 발송했어.
아나따와~
띠 띠 띠
또 경부와 경의 그리고 각 철도의 중요역에 우편국을 설치했어.
기차역
우편국
1905년 일본은 전신국과 우편국을 통합하여 모든 사무를 일본이 담당한다고 협박했어.
이제부터 우리 거야.
결국 한국에서 발행한 우표와 엽서는 6월 30일 기한으로 폐지하고 7월 1일 이후부터는 일본의 우표와 엽서를 사용하게 되었어.
日本 기
통신기관이 일본으로 넘어가 한국의 비밀 외교문서가 전부 단절되어
이걸 어쩌지?
비밀
감옥에 갇힌 것과 같이 되어 버렸어.
특히 일본은 토지침탈이 아주 심했어.
1904년(광무 8년) 일본 대리공사 오키하라가 나카모리의 신청에 의해 우리 정부에 황무지 개간권을 요구했어.
황무지 개간
나카모리
오키하라
일본은 우리나라에 황무지가 많아 국토의 1/4을 차지한다고 하면서
황무지 많더라.
그 황무지를 나카모리가 개간하겠다고 한 거야.
내가 개간할게.
일본사람이 발행한 《한성신문》이 이런 말을 자랑스럽게 하자
일본발행
한성신문
조선의 황무지를 나카모리상이 개간하려고 발 벗고 나섰스므니다.

《황성신문》은 통탄하며 반박했어.
황성신문
말도 안 되는 소리! 조선에 황무지가 어디 있는가?
그러자 국민들도 비로소 이 사실을 알아채고 조상이 물려준 땅을 어찌 팔 수 있냐며 분개했어.
이게 사실이야?
미친 거 아냐?
관리들과 각지의 유생들도 반대하는 상소를 올렸어.
정부는 나카모리의 신청이 근거 없다고 개간권 요구를 거절했어.
한마디로 우리나라에 임자없는 땅이 어디 있소?
그런데도 오키히라는 〈황무지 개간안 변명서〉라는 것을 외부에 재신청했어.
그래도!
12가지
외부
그러자 윤시영, 윤병 등 수백 명이 함께 상소를 하여 일본의 행위를 규탄했어.
동조하는 매국노도 처단하소서!!
또한 송수만, 송인섭 등은 '보안회'라는 단체를 조직해 연설과 격문으로 일본의 토지침탈을 알렸어.
일본경찰은 연설장에서 송수만, 송인섭을 체포했어.
남의 땅을 자기 것이라 하고 항의하는 사람을 체포했어. 점점 일본의 잠식이 눈에 보이지!
으흐흐흐~
조선
이유인 등은 외부에 청원하여 신청서의 취소를 요구하고 각국 공사에 호소하여 공평한 판결을 요청했어.
말이 됩니까?
보안회도 연설활동을 멈추지 않았어.

고종황제는 측근을 보내 해산을 종용했지만 사람들은 울면서 물러가지 않았어.
어찌 해산하라 하십니까?
한편 일본 공사는 우리 정부에 보안회원을 엄벌에 처하도록 협박하였고,
일본에 대해 나쁜 소문을 내는 자들을 처벌하시오.
보안회
수백 명의 병사를 동원해 군중을 총칼로 위협하고 사람들을 체포해 갔어.
사람들이 체포되어도 다시 집회가 열렸고, 다시 일본 경찰이 몰려와 쫓아 버렸어.
며칠 후 일본 공사 하야시는 민중의 분노가 불같다고 일본에 보고했어.
장난 아닌데요?
일본은 황무지 개간안은 천천히 협상하자고 한걸음 물러났어.
그럼 천천히 하지 뭐.
우리나라는 여기서 멈추지 않고 외부대신 이하영이 장문의 서신을 통해 반박했어.
외부대신
그 내용을 보자면,
일본 경찰이 맨손의 군중에게 총칼로 공격하여
구속하고 부상당한 자가 여러 명인데
일본 공사는 알고도 모른 척하여 일본의 명예를
떨어뜨리고 동양의 평화를 생각지 않는다.
일본은 후에도 외부대신과 일본 공사가 만나 다시 협상하자는 말만 계속했어.
- 앵무새냐?

그 후 7월 30일 참정대신 심상훈과 외부대신 이하영이 일본 공사와 담판하여 황무지 개간안을 철회시켰어
장난 그만하쇼!
아… 알았어.
안 통하네.
우리 민중의 힘을 보여주는 사건인 거야.
으아 해냈다!
어떻게 어거지로 먹어 볼까 했는데….
하야시는 1904년 한일의정서를 체결한 이후로는 토지침탈을 더 심하게 했어.
그렇다고 멈출쏘냐!
그 전에는 일부였다면 이젠 아예 전국적으로 빼앗기 시작한 거야.
먹을수록 더 먹고 싶다!
군사적으로 필요한 지역이라고 하면서 부산부터 마산, 전주, 목포, 인천, 중남포, 압록강, 원산, 성진 등의 연해 각 곳에 포대를 설치했어.
여기가 일본이야?
흥.
또 황주군에다 흥업회사를 설립하고 토지를 구입하여 지역을 확장하니
땅 팔아.
지역에 살던 우리 국민들은 대부분 이곳을 떠났거나 생활기반을 잃었어.
이제 우리 땅이야. 다 나가!

일본의 경제침탈은 여기서 끝난 게 아니야.
이제 시작이야.
을사조약, 한일합병으로 끝내 나라를 빼앗긴 후 더욱 심해졌어.
을사보호조약
한일합병
일본이 우리나라를 식민지배하고도 자신들이 잘한 것이 있다고 큰소리치기도 해. 우리나라의 근대화를 도와주었다고 말이야.
우리가 철도도 놔 주고
정치도 근대화시켜 줬잖아!
우리가 잘못한 게 뭐야?
박은식이 일본의 경제침탈에 대해 많은 이야기를 한 것은 이 때문이야.
일본은 근대화를 도와준 것이 아니라 우리나라의 산업을 빼앗아 이익만 가져간 거야.
한일의정서, 러일전쟁, 을사조약, 한일합병… 많은 이야기가 등장하지.
한일의정서
러일전쟁
을사조약
한일합병
'한일의정서'는 러일전쟁 당시 일본의 강요로 우리가 일본과 동맹관계라는 것을 문서로 체결했다고 생각하면 돼. 강제로 일본 편을 들게 한 거야.
우리 전쟁하는 거 봤지?
우리 편 들어!
러일전쟁은 한일의정서 체결로 이어지고 결국 을사보호조약으로 이어진 뒤 한일합병으로 이어지거든.
한일의정서
을사보호조약

경제 변화에 대해

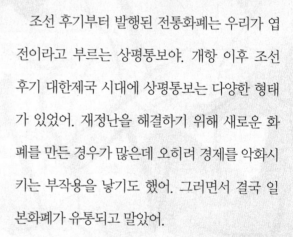

1. 화폐

조선 후기부터 발행된 전통화폐는 우리가 엽전이라고 부르는 상평통보야. 개항 이후 조선 후기 대한제국 시대에 상평통보는 다양한 형태가 있었어. 재정난을 해결하기 위해 새로운 화폐를 만든 경우가 많은데 오히려 경제를 악화시키는 부작용을 낳기도 했어. 그러면서 결국 일본화폐가 유통되고 말았어.

常平通寶
戶大當百

▲
당백전

당백전

대원군이 경복궁 중건 당시 발행했던 당백전이야. 이것도 상평통보의 일종이야. 한마디로 비슷하게 생긴 엽전인데 화폐의 가치가 엽전의 100배에 달한다니 이상한 화폐이기는 하지. 이렇게 실제가치에 비해 높은 가격을 가진 화폐를 악화라고 해. 경제에 물가상승 등 악영향을 주거든. 당백전은 1866년(고종 3년) 11월부터 6개월 동안 1,600만 냥이 주조 · 유통되었어.

당오전

1883년 민씨 정부에서 주조한 동전으로 엽전 5개의 가치를 갖는다고 해서 당오전이라고 했어. 그런데 실제적으로는 약 두 배에 지나지 않는 악화라는 것이 문제야. 민씨 정부가 재정난을 해결하기 위해 발행한 화폐야. 김옥균은 당오전의 발행이 재정난을 해결하는 올바른 방안이 아니라고 지적했어. 이 당오전의 발행으로 개화당과 민씨 정부의 갈등이 표면화되었던 거야.

▲ 당오전

백동화

갑오개혁 때부터 사용되었으며, 특히 대한제국 때 대량으로 주조되었어. 백통전 · 백통화라고도 해. 가치는 엽전 25개에 해당했어. 백동화도 실제가치가 화폐가치에 미달되었고 더구나 위조화폐가 다량 유통되어 화폐질서를 더욱 어지럽혔던 거야. 그래서 일본이 만든 지폐인 제일은행권이 더욱 쉽게 침투될 수 있었지.

5 CHON

▲ 백동화

10 YEN

▲ 제일은행권

▲
1900년 11월 12일 경인선 개통 준공식

2. 철도

철도는 중요한 교통수단이고 생활의 편리를 가져온 근대문명 중에 하나야. 지금까지도 사랑받는 교통수단이고 말이야. 그런 철도가 부설되는 일은 환영할 일이지. 그런데 문제는 철도를 부설하면서 이익을 챙기고, 전쟁 때 물자수송을 하는 등 침략의 도구로 이용한다는 거야. 일본이 철도 건설에 적극적으로 매달린 것만 보아도 알 수 있어. 우리나라 최초의 철도는 서대문에서 제물포에 이르는 경인선이야. 원래는 1896년 미국인 모스에게 허가됐는데 자금부족으로 부설권이 1898년 일본의 경인철도 합자회사로 넘어간 거야.

1905년 1월 1일에는 남대문에서 부산 초량에 이르는 경부선이 개통되었어. 1898년 이토의 강력한 요구로 인해 철도부설권을 일본에 넘겨주게 되었던 거야. 1902년이 다 되도록 진행이 되지 않다가 러일전쟁이 임박하면서 일본 측이 군수물자의 수송을 목적으로 완공했어. 빠른 시일 내에 완공이 가능했던 것은 수천 명의 농민을 강제노역으로

동원했기 때문이야. 일본은 철도를 부설하면서 철도가 침탈의 수단임을 여지없이 보여 주었어. 강제노역도 모자라 철로 주변 부지는 강제로 몰수하고 철도부설 정거장 매입지는 넓게 잡아서 일본 상인이 진출할 수 있도록 발판을 만들었어. 그러니까 일본은 자신의 전쟁에서의 승리나 우리 것을 빼앗는 데만 관심이 있었지, 우리나라의 근대화에는 전혀 관심이 없었던 것이야.

경의선은 1896년 7월 3일 프랑스의 피브릴사의 그리유가 부설권을 얻었으나, 자금조달 관계로 공사에 착수하지 못했어. 그러던 중 1903년 2월 16일 러시아 정부에서 경의철도 부설권을 한국 정부에 요구하기도 했어. 1904년 러일전쟁이 일어나자, 같은 해 2월 21일 군사물자 수송이 다급해진 일본이 서울-의주 간 군용 철도를 부설했지.

제10장
국권피탈의 시작
- 러일전쟁과 한일협약
일본은 우리나라 경제를 침탈하는 것을 시작으로 더욱 많은 것을 빼앗아가기 시작했어.
경제
우리나라는 다른 열강들에게 '제 살 깎아먹기식'으로 한반도의 이득권을 하나씩 주면서 그 길만이 우리가 독립을 유지할 수 있는 길이라는 어리석은 생각을 했어.
알았지? 나 때리지 마. 나 보호해 줘.
하지만 열강들은 중요한 순간에 자기들의 이익만 생각하고 우리에겐 등을 돌렸어.
도와줘!
축구하러 가자~
더 많은 것을 빼앗고 싶었던 일본은 다른 열강들을 눈엣가시처럼 생각했어.
저것들만 없으면 다 내 건데.
중국이 열강의 틈바구니에서 낙오가 된 시점에

일본이 가장 경계하는 나라는 러시아였어.
흥!
일본 다음으로 러시아가 우리나라에서 많은 영향력을 끼치고 있었거든.
고종의 아관파천도 있었잖아.
결국 일본은 우리나라를 혼자 차지하려고
나 혼자 다 먹을 거야!
전쟁을 일으켰어. 한마디로 러일전쟁(1904~1905)은 러시아와 일본이 우리나라를 서로 차지하려고 싸운 것이야.
좀 더 자세히 얘기하면 우리나라뿐 아니라 랴오둥 반도를 서로 차지하려고 싸운 것이야.
한국과 만주는 러시아와 일본의 쟁탈전 목표가 되었고 오직 승자의 전리품이 되었어.
만주, 조선
러시아와 일본은 해전을 제외하고는
?
중국 땅인 랴오둥과 우리나라 땅에서 전쟁을 했어.
자기들 나라에서는 전쟁을 안 하고 말이야.
집도 부서지고, 농사도 망했다!
우리 국토는 엉망이 되잖아.

러일전쟁의 진행과정을 좀 더 살펴볼까?
러일전쟁
일본은 러일전쟁을 일으키기 전에 영국과 동맹을 맺어.
우린 친구.
우리나라에 있던 많은 열강 중 영국을 자기 편으로 만든 거야.
영일동맹의 목적은 러시아의 남하를 방지하고 중국과 조선에 대한 이익을 함께 나누고 조선에 대한 일본의 정치, 경제상의 특권을 승인한 거야.
이익 나누는 대신 특권 승인해 줘.
우리는 친구.
슬프게도 우리나라는 독립국인데도, 일본과 영국 두 나라는 우리나라를 나누어 갖기로 동맹을 맺은 거야.
바람 앞의 등불 같은 상황에 러시아도 프랑스와 협약을 체결하여 가세했어.
우리도 먹을 거야!
1903년 8월 일본 외무대신 고무라는 러시아 주재 공사 쿠리노에게 “한국은 일본의 수중에 넣었으므로 타인의 접근을 불허한다.”는 편지를 보냈어.
그러면서 일본 정부와 러시아 정부 간에 협상이 진행되었는데
만주를 서로 갖겠다고 해서 협상이 잘 되지 않았어.
만주는 우리 거야!
만주
그러면서 러시아는 육해군을 배치하는 등 눈에 띄게 군사활동이 늘었고 한국에 파병한다는 소문도 나돌았어.

한편 일본도 전쟁준비에 박차를 가해 1902년 12월 26일 군자금 보충에 관한 세 건의 긴급칙령을 공표하고
전쟁을 준비한다!!
긴급칙령
1903년 2월 5일에 동원령을 내렸어.
외무대신 고무라는 러시아 공사와 최후의 회견을 가졌고
더 이상 할 말 없지?
러시아 주재 일본 공사관도 일장기를 내리고 귀국길에 올랐어.
깃발 내려! 집에 간다.
러일 두 나라의 국교가 단절되고 전쟁의 기운이 퍼진 거야.
…?
러일전쟁은 일본이 사전에 선전포고도 없이 뤼순항을 공격하면서 시작되었어.
러시아는 항의했지만 일본 함대에 러시아 함정이 여러 대 격파당했어.
이거 뭐야? 시작종도 안 울렸는데!
앗싸
선전포고가 없어서 장교들은 연회에 참석하거나 자리에 없었지. 그 때문에 피해가 컸어.
펑
뭐야? 불꽃놀인가?
인천 항도 동시에 공격했어.
인천
서산
인천의 제물포항에는 러시아 군함이 각국 군함과 함께 정박해 있었어.
프랑스 함대가 아직 선전포고가 없었으니 공격하면 안 된다고 했지만 일본은 귀담아 듣지 않았어. 준비가 안 된 러시아 함대는 결국 선체와 함께 자폭했어.
배를 빼앗기느니 자폭이다.

이렇게 일본의 일방적인 싸움으로 시작된 러일전쟁은 일본과 러시아가
서로 선전포고를 하면서 본격적으로 시작했어.
두 나라 모두 한반도와 만주의 독립 때문에 싸우는 것이라고 그럴 듯하게 발표했지만
실상은 한반도와 만주에서의 지배권을 차지하기 위해서였어.
한일의정서는 1904년 2월, 일본이 러일전쟁을 일으킨 지 보름 만에 강제로 맺은 조약이었어.
한일 의정서
우리나라에서 군사전략상 필요한 곳을 마음대로 사용하기 위함이야.
좋아!
러일전쟁이 시작되자 우리나라는 중립을 선언했지만
중립
일본의 강요로 어쩔 수 없이 한일의정서를 체결하며 일본 편을 들게 됐어.
누구 맘대로.
위협적인 기세에 러시아 공사는 국기를 내리고 귀국했어.
한국은 일본 세상이 되었다.
더욱 기세가 높아진 일본 공사 하야시는 정부관리인 이지용과 통역을 했던 구완회를 위협해 한일동맹조약을 체결했어.
이지용
구완회
강제로 한일동맹을 성사시킨 일본은 신이 났어.
못할 것이 없네!
그래서 1904년 3월 특파대사를 파견해 고종황제에게 선물도 전하고 한국의 분위기 파악에 나섰어.
이번엔 당근을 줘야지.

당시 대사로 왔던 사람이 바로 이토 히로부미야.
박은식은 이토가 한국에 온 목적은 우리나라를 확고하게 자기편으로 만들려고 온 것이라 했어.
일본 편으로 만들 거야!
강제로라도.
일본은 말로는 꼭 한국이 독립을 유지해야 한다고 했어.
한국은 독립국!
그런데 강제로 한일의정서를 체결하니 그동안 보아온 대로 일본은 우리나라의 안위에는 관심이 없다는 불평이 생긴 거야.
역시나!
이런 불평을 눈치챈 일본이 이토를 보내 불평을 제거하려 한 거지.
불평의 싹을 없애야 하는데….
어떻게 제거하려 했냐고?
당시 한국은 군주권이 있을 뿐 민권은 없었어.
짐이 곧 국가다.
다시 말해 국가의 모든 결정을 황제가 하고 그 황제는 대대로 물려받는 것이지, 국민이 선출하는 것이 아니잖아.
王
국민에게서 나오는 민권은 없고 군주권만 있었던 거야.
민권? 천한 백성이 감히 왕권에 도전해!
이런 상황에서 일본이 생각하길, 우리나라를 빼앗으려면 군주 한 사람에게서 빼앗는 것이 쉬우니까 군주권은 계속 유지되는 것이 자기들에게 유리하다고 판단한 거야.
주권
그래서 독립협회 같은 민권단체들을 탄압했던 거야.
독립협회

고종황제는 그것도 모르고 군주권이 유지되어야 한다니까 좋아했어.
이런 난국을 맞아 군주권을 상실하면 반드시 위기에 부딪힐 것이니 원컨대 폐하께서는 경솔하게 남의 말을 듣고 군주권을 잃지 마십시오.
좋아! 좋아!
박은식은 "지나치게 달콤한 말은 그 속이 반드시 쓰다."며 일본의 이중성을 경고했어.
러일전쟁은 우리나라의 평양, 정주, 의주 등에서 일어났어.
왜 남의 땅에서 전쟁이야!
일본은 뤼순을 비롯한 랴오둥에서의 전투와 바다에서의 전투도 승기를 잡기 시작했어.
일본은 전세가 유리해지자 우리에게 협약을 강요했어.
자~ 또 협약 맺자!
1904년 8월 제1차 한일협약을 체결하여 외교와 재정분야의 외국인 고문을 두도록 했어.
좋은 거야. 잘 지도해 준다니까.
그리고 일본인 메가타를 재정고문으로, 친일 미국인 스티븐스를 외교고문으로 임명했어.
메가타
스티븐스
이어 군부, 내부, 학부, 궁내부 등 각 부에도 일본인 고문을 두어
군부
내부
학부
궁내부
내정을 간섭하는 고문정치를 시작했지.
고문(拷問)이 아니라 고문(顧問)이다!
고문이라는 것은 그 분야에 높은 지식이 있는 전문가를 말하는 거야.
고문 · 顧問
고문은 우리나라에 도움이 될 연구를 해야 하는데 전부 일본의 이익만을 생각하니 한국의 앞날은 더욱 어두워졌어.

그리고 일본이 결국 러일전쟁(1904~1905)에서 승리하였어.
일본이 러일전쟁에서 승리할 것이 확실해지자 영국은 재빨리 움직여.
일본을 만나야 겠다.
1902년에 체결한 영일동맹 6개조는 한일양국에 관한 것으로 러시아를 견제하려던 것이었어.
영일동맹 (1902)
6개 조항
그러나 전쟁이 끝나고 강화조약이 성사될 기미가 보이자 일본은 영국과 동맹조약을 개정했어.
동맹조약 개정
일본은 조선을 지도하고 보호하는 권리를 갖고 있고, 영국은 인도를 지배하는 권리를 갖는다고 서로 인정해 주는 거야.
조선
인도
미국도 일본과 밀약을 맺었지.
우리도 하자.
열강은 자기 나라의 이익만 생각 한다고 했지!
이것이 가쓰라 · 태프트 밀약(1905년 7월)이야.
그건 네 맘대로 해.
조선
필리핀
이 밀약도 모르고 고종황제는 을사조약 후 미국에게 도와 달라고 청했어.
도와주기로 했잖아?
….
고종
슬픈 일이야. 나라가 힘이 없고 정부가 눈이 어두우니….
러일전쟁에서 승리한 일본은 러시아와도 협약을 맺어
바쁘다!
1905년(광무 9년) 9월 5일 러시아 전권위원인 비테*와 일본 전권위원인 고무라가 미국 포츠머스에서 강화조약을 체결했어.
고무라
포츠머스
…

*비테(1849~1915) – 제정 러시아의 정치가.

내용은 패전국 러시아가 승전국인 일본의 조선에 대한 권리를 인정한다는 거야.
우리나라에 대한 권리가 우리에게는 없고 일본에게 권리가 있다고 세계열강들이 인정하는 거야.
이… 이봐!
점점 우리의 의견은 모두 무시당하고 있던 거야.
내가 안 보여?
사태가 이 지경에 이르기 전에 뜻있는 사람들이 예견했던 거지.
뻔히 눈에 보인다….
러일전쟁에서 일본이 승리를 눈앞에 두었을 때인 1905년(광무 9년) 5월 12일 주영 대리공사 이한응이 런던에서 음독자살을 했어.
유서에는 비장함이 서려 있었어.
유서
오호라! 주권이 없는 인종은 평등을 상실하여 각종 교섭에 치욕이 그지 없으니…
이 어찌 피 끓는 자가 참을 수 있는 일인가. 장차 종묘사직*은 망하고 민족은 노예가 될 것이다. 구차하게 살아남아 치욕을 더하는 것보다 차라리 한순간에 모든 것을 잊는 것이 옳을 것이다.
박은식은 이한응의 죽음이 우리 민족의 아픈 역사 속에 빛나는 선혈**이라 했어.
우리 민족은 조상의 신성한 가르침을 계승하여 충신과 열녀의 선혈이 역사에 끊이질 않았는데

*종묘사직 – 왕실과 나라를 통틀어 이르는 말. **선혈 – 생생한 피.

이 시기에는 나라가 이렇게 권리를 빼앗겨도 순국하는 자가 드물어 명예와 절개가 끊어지게 될 위기에 처했다며 가슴 아파했어.
나도
내가 왜? 줄 서야지.
그런데 이한응이 순국하면서 을사보호조약 후 충정공 민영환, 충정공 조병세가 순국했어.
구천에서 도울 것이다.
치욕을 죽음으로 나마 갚는다.
박은식은 순국으로 충의의 기풍이 되살아나 애국지사가 계속 출현해 우리 민족의 정신을 세계에 펼칠 수 있었던 거라 했어.
의병장 유인석
이준열사
최익현

이들이 아니었으면 우리 민족은 짐승의 신세를 면치 못했을 거라고 했어.
사람과 짐승의 차이는 바로 정신이야!
살면서 욕망에 굴복하고 쾌락에 빠져서는 안 돼. 사람의 도리를 지켜야 해!
러일전쟁에서 승리하고 한반도의 권리를 다른 나라에게 인정받은 일본은 거칠 것이 없었어.
누가 나를 막으랴!
이제 고문을 두는 한일협약에 만족할 수 없었던 거야.
더 많이 뺏고 싶어!
딸그락
그래서 다시 이토 히로부미를 특파대사로 파견한다고 알려왔어.
나 알지?
씨익
이토가 온다는 소식에 나라가 술렁였어.
술렁
이토가
이토가 온대-
영일동맹과 포츠머스 조약으로 우리의 권리가 없어지고 있다는 것을 모두들 느끼고 있었던 거야.
나라가 어떻게 되는 거야?
불안에 떠는 정부의 대신들도
만약 우리나라 사람으로 이토에 굴복하는 자는 매국노이며 만대의 죄인이다.
결의를 다지기도 했어.
우리는 죽기를 각오하고 이에 응하지 않을 것이다!
나중에 배신하는 친일파들이 생겼지만….
난 죽기 싫은데….

처음부터 일본 편에 앞장선 단체도 있었어.
11월 5일에 '일진회'는 성명서를 제출했어.
일진회
성명서의 내용은 이런 것이었어.
이제 한·일 양국 관계를 단지 옛날로 회복하려는 것은 죽은 자를 소생시키는 것과 차이가 없으니….
온당치 못한 일이다. 그러므로 우방의 지도를 순순히 받아들여 명명을 진보시키고 독립을 유지하는 것이 합당하다.
베베
즉 일본을 따르는 것이 마땅하다는 이야기지.
일진회는 송병준, 이용구가 만든 단체로
일본의 힘을 빌려 정권을 탈취하고자 일본에 충성을 다했어.
그래서 이름도 '일진회'라고 한 거야.
박은식은 일진회가 일본의 꼬임에 빠져 헛된 부귀를 꿈꾸며 모여든 장님집단이라고 했어.
저…
장님집단.

일본은 한국병합을 눈앞에 두고 거짓말로 조약을 어겼다는 사람들의 비판이 두렵고 우리 민족 전체의 저항을 염려하여,
한일합병 계획서
대한

일진회를 민간단체라 부르고 이를 이용한 거야.
이리 온 민간단체.
일진회
헥헥-

일진회는 이토가 특파대사로 오고 을사조약을 체결한 후에는 이토의 심복노릇을 해. 고종황제를 퇴위시키는 데도 한몫하고 심지어는 한일합병 때는 〈합방만이 살 길〉이라는 선언서를 발표하여 일본을 기쁘게 했어.
이용구
송병준

일진회 단체사진

친일행각을 했던 일진회도 합병 후에는 해산시켜 버렸어.
해산시켜.

토사구팽이지. 토끼사냥이 끝나면 토끼를 잡은 사냥개도 잡아먹는다잖아.

우리나라를 완전히 빼앗고 나니 친일 민간단체도 필요없어진 거야.
꺼억
퉁
퉁

일진회와 대한매일신문

1. 일진회 – 친일민간단체

1904년 8월 한일협약을 체결하여 고문을 두어 대한제국을 간섭했다고 했지. 일본은 고문정치만으로 한국 정부를 간섭하는 것에 만족하지 않고 친일적 민의가 필요하다고 생각했어. 친일여론 조성이 필요했던 거야. 지금도 여론의 힘은 중요하잖아. 그래서 일본의 보호 아래 만들어진 단체가 일진회야. 러일전쟁 때 일본군의 통역관이던 송병준과 독립협회의 윤시병, 유학주 등이 1904년 8월 18일 유신회를 조직했다가 8월 20일 일진회로 고치고 회장에 윤시병, 부회장에 유학주를 선출했어. 일진회는 창립 이후 일제히 회원들이 단발과 양복착용을 실시하여 사람들을 놀라게 했어. 양복과 단발을 문명개화의 상징으로 내세웠던 거야.

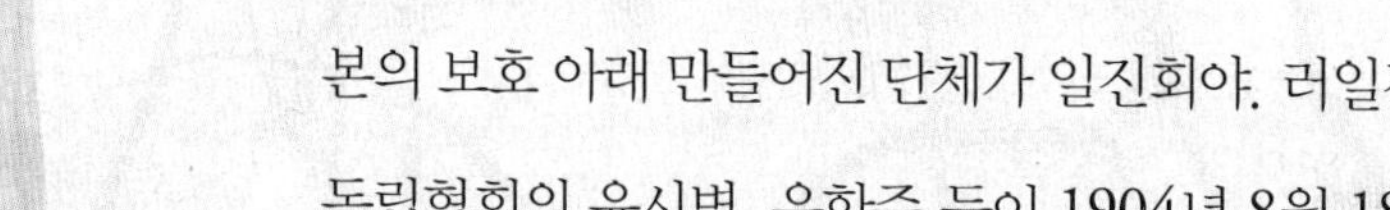

▲
일진회 회원들 기념사진이야. 장소는 이용구 집

처음에는 서울지역만을 중심으로 하여 지방에는 그 세력을 뻗치지 못했어. 그런데 지방세력으로

서 동학당의 친일세력인 이용구의 진보회와 같은 해 12월 26일에 손을 잡고 13도총회장에 이용구, 평의원에 송병준이 각각 취임하면서 전국적인 세력이 되었던 거야. 자주독립의 민의를 이끌었던 독립협회 출신, 농민의 수탈의 아픔을 같이하여 동학란에서 동학농민전쟁으로까지 발전했던 동학당이 친일세력의 중심에 선 거야. 씁쓸하지. 일진회는 1905년 11월에 개최된 총회에서는 회장 이용구, 부회장 윤시병, 지방총장 송병준, 평의원장 홍긍섭을 선출하여 일본인 고문 모치즈키 류타로와 함께 적극적인 친일활동을 전개하였어. 같은 해 11월 17일 을사조약 체결을 10여 일 앞두고 "한국의 외교권을 일본에게 위임함으로써 국가독립을 유지할 수 있고 복을 누릴 수 있다."라는 내용의 선언서를 발표했던 거야.

▲
일진회의 대표인물 송병준

한편 국채보상운동이 전국적으로 전개되던 시기인 1907년 5월 2일에는 정부탄핵 문제를 제출하여 국채보상운동으로 야기된 모든 사태가 한국 정부의 잘못이라고 공격하기도 했어. 같은 해 7월 18일 헤이그 특사사건을 계기로 고종이 양위하고 한국군대가 해산되자 전국 각지에서 봉기한 의병들은 일진회원들을 토벌하고 일진회 지부 및 그 기관지인 《국민신보》사를 습격하고 파괴하기도 했어. 1909년 이토 히로부미가 하얼빈에서 암살된 이후부터 일진회의 매국행위는 더욱 가열되어 국권피탈안을 순종에게 몇 번씩 건의하기도 했어. 심지어 한일합병때에는 〈합병만이 살 길〉이라는 선언서를 발표하여 일본을 기쁘게 했던 거야. 일진회의 대표인 송병준, 이용구 등을 처형하려는 움직임도 있었지만 뜻을 이루지 못했지. 일진회는 1910년 8월 22일 조약이 체결된 후인 9월 26일 친일적 소임을

끝내자 일본이 해산시켰어. 일진회를 이끌며 친일의 선두에 섰던 이용구(1912년 사망)는 죽어서도 일본으로부터 훈장을 받기도 했지. 송병준은 한일합병을 이끈 경술 7적 중에 한 사람이고 일본으로부터 작위도 받았어.

▲
《대한매일신보》

2. 《대한매일신보》 – 항일여론의 중심

친일여론의 중심에 일진회가 있었다면 항일여론의 중심에는 《대한매일신보》가 있었어. 일진회가 친일성명서를 발표한 것은 자신의 기관지인 《국민신보》였는데 그만큼 여론형성이 중요했던 거야. 우리 여론의 대표로 《황성신문》이 있었지만 러일전쟁 발발 이후 일본의 검열로 인해 일본의 눈치를 봐야 했어. 그래서 1904년 7월 19일 《대한매일신보》를 창간했던 거지.

《대한매일신보》 발행인이 영국인 베셀이어서 러일전쟁 발발 이후 계속되고 있는 일본 측의 언론검열을 피할 수 있었고, 항일여론을 이끌 수 있었던 거야. 처음 발행할 때는 타블로이드판 6면으로, 한글판 2면에 영문판 4면으로 구성되어 있었어. 나중에는 한글, 한문, 영문의 세 종류로 간행했어. 우리나라의 실상을 세계에 알리는 데도 목적이 있었기 때문에 영문판도 있었던 거야. 양기탁이 편집과 경영의 실질책임자로서 주로 논설을 맡고, 박은식과 신채호 등 애국지사들이 주요 필진으로 활동하면서 민족의식을 고취시키고, 항일여론을 이끌었어.

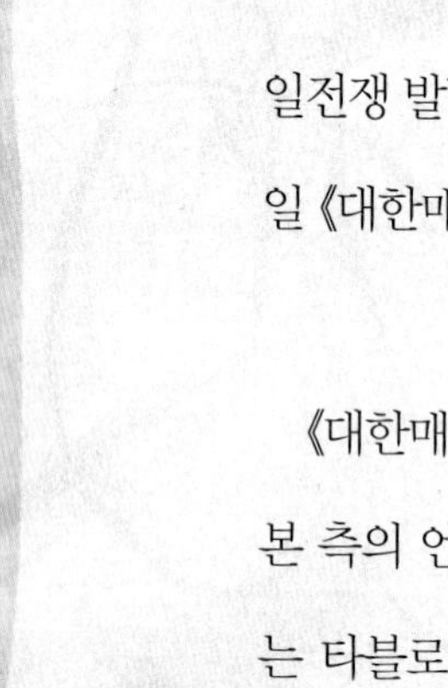

《대한매일신보》는 고종이 을사조약 체결을 끝까지 거부했음에도 일제가 강압으로 조약체결을 하였으므로 을사조약의 무효를 주장하고, 고종의 친서를 게재하는 등 나라 안팎에서 일본의 침략 행위를 폭로하는 항일 언론활동을 벌였어. 일진회와 같은 친일파들의 반민족행위를 강도 높게 공격하기도 했어. 또 의병활동을 대대적으로 보도하면서 항일정신을 고취시키기도 했어.

《대한매일신보》가 항일여론을 이끌 수 있었던 것은 영국인 베셀이 일제로부터 치외법권 지대를 만들어주는 울타리 역할을 했기 때문이라고 했지. 베셀은 1904년 러일전쟁이 일어나자 《런던 데일리 뉴스》의 특파원으로 한국에 왔다가 《대한매일신보》를 창간하였던 거야. 일본은 베셀을 눈엣가시처럼 여기고 베셀을 추방하기 위해 1908년 5월 《대한매일신보》의 기사와 논설이 일본인을 배척하고 한국인을 선동한다는 이유로 영국 상하이 고등법원에 제소하기도 했어. 3일간의 재판에서 베셀은 유죄판결을 받고 상하이에 호송되어 3주간 금고생활을 하였어. 다시 서울로 돌아온 뒤에도 베셀은 1909년 5월 1일 심장병으로 죽을 때까지 항일 언론활동을 계속했지.

한일합병 후 일본은 《대한매일신보》를 강제로 매수해, 《매일신보》라는 한글판 총독부 기관지로 발행했으며, 해방 후 대한민국 정부가 환수한 뒤 《서울신문》으로 바뀌었어.

제11장 국권피탈의 벼랑 끝 위기 – 을사조약 체결

농상대신 권중현
외부대신 박제순
내부대신 이지용
군부대신 이근택
학부대신 이완용
탄생 을사 5적
을사조약
조약체결 동안 누구도 접근 금지.

일진회의 친일행각 속에서 우리는 점점 국권피탈의 벼랑으로 몰리고 있었어.
일진회

국권피탈은 국권을 빼앗겨 주권이 없고 노예상태가 되는 것을 말하는 거야.
너희를 보호해 줄 국가는 없다. 시키는 대로 해!

벼랑끝 위기감이 가득한 가운데 11월 10일 한국으로 온 이토는 경성의 '손탁 호텔'로 숙소를 정했어.
손탁이라는 독일 여자가 경영한다고?
손탁 호텔

최초의 커피숍이 이 호텔에서 처음 생겼지.

이 손탁 호텔은 경운궁과 가까워서 외교관들이 많이 묵었어.
그래서 나도.

다음 날 이토는 고종황제를 알현하고 일본천황의 친서를 전달했어.
내용을 보니 이런 내용이었어.
집이 동양평화의 유지를 위해 대사를 특파하니 합심하여 대사의 지휘를 따르고 국가의 방어를 조치하소서. 짐은 황제의 안녕을 공고히 보호하겠소.
그러면서 이토는
휴~
여기 또 있지!
대동아의 평화를 유지하고 한일 양국의 보존을 위해 보호조약을 체결해야 한다고 했어.
평화를 위해
보호조약은 네 가지 조건으로 되어 있는데
조건은 넷!
내용은 통감부를 설치하고 외교권을 박탈하는 내용이야.
허울만 나라가 있을 뿐이지 권리를 빼앗겠다는 것 아닌가!
다시 말해 일본국 정부의 중개를 거치지 않고는 국제적 성질을 가진 어떤 조약이나 약속을 맺지 못하는
야! 누가 개랑 놀래?
외교권을 박탈하고 외교사무를 일본이 관리하는 통감부를 설치한다는 거야.
우리가 관리할게.
통감부
통감은 오로지 외교에 관한 사항을 관리하기 위해 경성에 주재하고 친히 한국 황제폐하를 만날 수 있는 권리를 가진다고 했어.
내가 만나자면 만나야 해.

을사보호조약이 체결되고 통감부가 설치된 후에는 외교권뿐 아니라 사법권과 경찰관이 없어지고
허울만 대한민국 이야.
내정 전체를 간섭하게 되면서 한일합병을 해서 주권까지 빼앗기게 돼.
푹
이토의 조약문을 본 고종은 드디어 이토의 본모습을 깨닫게 되었어.
그동안은 명목상이라도 조선의 독립을 보증한다는 문구가 있었는데 그것마저 사라진 거야. 고종황제는 종묘사직의 큰일이라 대신들의 의견을 물은 뒤 답하겠다 했어. 이토는 즉시 처분을 내리라며 협박했어.
러일전쟁포고문
조선은 독립국
한일의정서
..조선은 독립국...
대신들과 유생들의 의견을 듣고….
백성이 반대하면 병력으로 진압할 거야!
고종황제는 절대 승인 못하겠다고 했어.
짐이 차라리 죽음으로써 순국할지언정.
고종황제가 버텨서 물러난 다음 날(16일) 이토는 자신의 숙소로 대신들을 불러서 조약을 체결하라고 협박했어.
한규설
이하영
이완용
권중현
외부대신 박제순은 하야시가 일본 공사로 불러 압력을 가했어.
박제순
하야시
대신들은 전부 안 된다고 강하게 반대했지.
아니 되오!
대신들이 반대하자 17일 일본 공사 하야시가 모든 대신을 불러 4개조 승인을 요구했어.
모두 모이시오!

이에 박제순은 다시 체결 반대의 입장을 말했어.
내가 어제 공사와 나눈 말을 이해했을 것이고, 참정대신 이하 각 대신이 이토 대사와 회견한 것 역시 나와 동일하니 오늘 이 자리에 어찌 변경이 있겠는가?
대신들이 반대를 하자 하야시는 화를 내며 말했어.
여러분들이 아무리 반대할 지라도….
대사가 황칙을 받들고 한국에 올 만큼 중요한 일이니 기어이 단행할 것이다.
여러분은 이 뜻을 귀국 황제께 전하라.
여기에 가장 먼저 호응한 것이 이완용이야.
이 일은 불가불 속결해야 할 것이다. 어떻게 미루기만 하겠는가!
입궐 합시다.
이완용은 겉으로만 조약체결을 반대하면서 속으로는 다른 생각을 하고 있었기에 일본 공사가 황제에게 전하라고 할 때 제일 먼저 나섰던 것인지도 몰라.
….
대신들이 이완용의 속도 모르고 같이 입궐하려 하자 하야시 공사도 함께 입궐한다고 했어.
나도 가겠소.
대신들이 하야시가 입궐하면 안 가겠다고 하자
나 안 가.
하야시는 일본 헌병과 순경들을 동원해 대신들을 둘러쌌어.
결국 무력으로 하야시는 대신들과 함께 입궐했어.
난 휴게실에서 기다리고 있겠소.

입궐한 대신들은 어전회의를 열었어. 어전회의에서 대신들은 모두 조약체결에 반대했어.
말도 안 됩니다. 반대요.
나도 반대.
결사반대!
그런데 이완용은 은근슬쩍 검은 속을 드러냈어.
이렇게 중대한 안건을 승인하지 않으면 그만이지만….
만약 승인한다면 어구를 고치는 것이 좋을 듯합니다.
서너 명의 대신들이 동조하고 나섰고 그중 이하영이 소매 속에서 조약문 사본을 꺼내
그럴까?
그럼, 이걸 한번 보시죠.
슥~
고칠 부분을 논의했어. 그러자
요부분은 요렇게 하고
참정대신 한규설은 화를 내며
이 무슨 해괴한 짓이오!
다른 대신들과 조약체결 반대의사를 단단히 했어.
절대 반대요!
황제가 참정대신에게 신중히 의논하라고 말했어.
흥분을 가라앉히고….
하지만 참정대신은 눈물을 흘리며 말했어.
오늘의 사태는 찬성이나 반대만 있을 뿐이며, 우리나라가 찬성해도 망하고 반대해도 망할 것입니다. 반대해서 군신이 함께 순국하는 일이 생긴다면 나라가 망해도 세상에 면목은 세울 것입니다.

황제는 침통한 표정으로 자신의 의사는 결정했으니 대신들에게 조심하라고 말했어.
나의 뜻은 변함없으니 부디 조심들 하시오.
어전회의를 끝내고 참정대신은 휴게실로 가서 하야시에게 만장일치로 조약체결을 부결했다고 전했어.
만장일치로 부결이오!
하야시→
참정대신이 이 중대한 일을 미루고, 불충하게 일본황제의 칙령을 받들 지 않겠단 것이오?
내가 직접 황제를 만나겠소!
참정대신이 탄식하며 벌떡 일어나 나가려 하자 다른 대신들이 만류했어.
나가겠소!
한규설
참아요~
공사가 우리정부를 모욕함이 이 지경에 이르렀으니 참을 수 없다.
일본은 자기들 뜻대로 조약체결이 이루어지지 않자 더욱 많은 병사들을 동원했어.
이번에는 이토 대사와 하세카와 대장이 병사를 인솔하고 입궐하여 대궐을 포위했어.
이토는 무력으로 압박하며 황제의 알현을 청했어.
황제는 병이 있어 만날 수 없으니 참정대신과 협의하라고 했어.
참정대신과 하시오.
그래서 참정대신* 이하 모든 대신들이 모여 이토와 회의를 하게 되었어.
참정대신은 대신들에게 자신들의 의사를 밝히라고 말했어.
우리의 의지가 어떤지 각자의 의견을 말해 줍시다.

*참정대신 – 총리대신

제일 먼저 외부대신 박제순이 말은 반대라고 하며 애매한 태도를 취했어.
반대는 반대인데….
박제순
이토가 이는 찬성하는 것이지 반대가 아니라고 말하자, 이에 박제순은 변명하지 않았어.
그러니까 찬성이란 말이지?
….
참정대신은 황당했지만 다른 대신들의 의사를 물었어.
뭐야, 저거?
다른 대신들의 뜻은 어떠시오?
민영기와 이하영은 반대했어.
당연히 반대!
반대!
그런데 이완용, 이근택, 이지용, 권중현 등은 개정하면 찬성하겠다고 했어.
'황실존엄'이란 문구만 넣어주면 찬성할게요.
참정대신은 협의한 대로 말하지 않는 대신들이 너무 황당했어.
….
그래도 참정대신은 조용히 다시 생각하기 바란다고 말했어.
목이 떨어질지라도 이 조약은 승인할 수 없으니 다시 생각해 보시오.
….
이토는 궁내대신을 불러 참정대신의 의견은 무시하고 조약체결에 반대가 적고 찬성이 많으니 이미 결정되었음을 황제께 알리라 했어.
궁내대신 불러.
사태가 심각함을 느낀 참정대신은 미리 황제를 만나 끝까지 조약체결을 반대하려고 했어.
이대로 흘러가선 안 돼!
그렇지만 이를 알아챈 이토가 일본 헌병을 동원해 휴게실 서쪽의 작은 방으로 끌고 가 감시했어.
이 무슨 짓이냐?!
이토가 계속 조약체결을 강요했지만
체결하시오.

참정대신은 강경하게 반대했어.
내 몸은 죽일 수 있지만 내 뜻은 꺾을 수 없다!
참정대신을 설득할 수 없다고 판단한 이토는
고래심줄 같은 인간 이군!
참정대신이 반대해도 다른 대신들은 일부를 개정하면 찬성한다 했으니 이 안건은 결정된 것이오!
그리고 5조에 한국 황실의 안녕과 존엄을 유지 · 보장한다고 추가해 개정안을 만들었어.
5조: 황실안녕..... ....존엄.....
그 개정안을 가지고 병사 수십 명을 인솔해 외부로 달려가
외부대신 박제순의 도장을 강제로 빼앗아 찍었어.
도장 줘 봐!
싫은데….
도장을 찍은 후 이토, 하세카와, 하야시 등이 군대를 철수시켰고
이제 철수 해도 돼.
다음 날(18일) 참정대신에 대한 감시도 해제해.
이제 그만 가슈~
비로소 참정대신은 밖으로 나왔어.
참정대신은 궁의 내정부로 가 참찬 이상설*과 손을 마주잡고 통곡했어.
어찌 이럴 수가….
대감.
다른 대신들이 모여들자,
참정대신은 큰 소리로 꾸짖었어.
시정잡배들이라도 공들처럼 말을 번복하진 않을 것이오!

* 이상설(1870~1917) – 독립운동가.

나라는 망했다! 나라가 망하면 공들은 편할 것 같은가?
그리고 다시 박제순을 향해 질책했어.
어찌 전후 번복이 이처럼 심한가?
참정대신이 반대를 했어도
자신의 안위를 위해 나라를 파는 이들이 있었기에 을사조약은 체결되고 말았어.
그래서 백성들은 나라를 팔아 넘긴 도적이라 해서 이들을 '을사 5적(乙巳五賊)'이라고 불렀어.
농상대신 권중현
외부대신 박제순
내부대신 이지용
군부대신 이근택
학부대신 이완용
온 나라 백성들이 이들을 규탄하고 치를 떨자
내 저놈들을 살려두지 않으리라!
이토가 순경과 군대를 보내 이들을 경호해 주었어.
이완용
보호조약 체결이라는 엄청난 일이 있었는데 일본은 그 사실을 보도하지 못하게 했어.
어제 날씨 맑았음! 개똥이네 복실이가 새끼 6마리 순산!
일본경찰 한 명을 전속 검열관으로 배치해서 조금이라도 일본의 비위에 거슬리면 그 사실을 보도하지 못하게 했어.
이건 안 돼!
OO 신문

《황성신문》 사장 장지연은 그런 억압에도 굴하지 않고 〈시일야방성대곡〉이란 제목으로 논설을 붙여
시일야방성대곡
피눈물 가득한 수천 마디의 말을 도도히 실어 검열을 맡지 않고 만여 매를 인쇄해 경성에 있는 각 가정과 기관에 빠짐없이 배포했어.
그리고 장지연과 《황성신문》 사람들은 밤새 술을 마시며 의연히 경찰의 체포를 기다렸어.
자! 밤새 취해 버리세.
다음 날 경찰은 신문사에 와서 허가증을 압수하고 기계에 자물쇠를 채웠어.
허가증
황성신문
그리고 장지연을 체포했어.
검열을 받지 않으면 죄가 되는 것을 알고 있나?
알고 있다. 이는 나의 직책이다. 내가 내 직책을 수행하는 데는 죽음도 피하지 않겠다.
그러자 경찰은 다시 심문하지 않고 구금한 지 70여 일 만에 석방했어.
안녕히 가슈.
탕
《황성신문》이 조약 강제체결의 실상을 폭로하고 〈시일야방성대곡〉이란 글이 항간에 전파되자 국민들은 크게 흥분했어.
그러나 아쉽게도 신문은 폐간되고 조약에 대한 의혹만 커져갔어.
? ?
이때 영국인 베셀이 한글, 한문, 영문의 세 종류로 《대한매일신보》를 발행하고 있었어.

《대한매일신보》는 일본이 검열하지 못하므로 일본의 강압을 사실 그대로 보도하고 가차 없이 비난했어.
이… 영국 거라 검열도 못 하고!
일본의 만행
국민들은 《대한매일신보》를 환영하였고
신문의 발행부수는 점점 늘어났어.
대한매일신보
학생들은 학교를 가지 않고 울었고
하늘을 부르며 슬피 우는 사람도 있었어.
하늘이시여! 어찌 이런 시련을 주십니까!
상가는 문을 닫았고
유생들은 맨발로 상경하여 합의문을 쓴 만장을 내걸고 큰 소리로 항의하는 자가 셀 수 없이 많았어.
유생들은 조약체결 직후부터 매국을 성토하는 애절한 상소문을 올렸어.
의정부 참찬 이상설은 참정대신과 손을 마주잡고 울었었지.
조약이 황제의 비준을 받지 못한 채 체결됐다는 하나의 희망을 가지고 상소를 올렸어.
상소문의 내용은 끝까지 비준하지 말고 나라를 팔아먹은 도적의 무리를 참수하라는 내용이었어.
죄인들을 참수하소서
황제의 비준은 조약에서 중요한 부분이야.
난 동의한 적 없어.
조약

황제의 비준이 없으면 조약은 체결되었다고 말할 수 없는 거야.
황제의 비준이 없으면 휴지랑 마찬가지.
조약
그래서 조약이 아니라 늑약(勒約)이라고 해야 맞아.
勒 約
늑약이라는 것은 한자말 그대로 '억지로 체결한 약속'이야.
勒(늑) - 굴레늑, 묶다 억지로 하다.
約(약) - 묶을 약, 묶다 약속하다.
조약이 성립된 후 끝까지 반대했던 참정대신은
오히려 궁궐 안에서 행동이 조심스럽지 못했다는 이유로 관직에서 파면하고 3년간 유형에 처한다고 했어.
파직하고 3년간 유형에 처한다!
후에 유형은 면제 되었지만….
그런데 을사 5적의 대표라 할 수 있는 박제순이 의정대신서리가 되었어.
험-
의정대신 서리
사람들은 분노했지.
나라를 팔아 먹은 놈이!
종 1품 벼슬에 있던 이유승은 분노에 찬 사람들을 대표해 상소를 올렸어.
도저히 보고 있을 수 없군!
이유승의 상소문 내용은 이랬어.
박제순은 혼백이 나간 인물로 충신과 역적이 어떤 건지도 모르는 자로
나라를 팔아먹기를 쉽게 생각하는 금수와 같은 자이니
이런 모든 적들을 물리치고 나라의 지사들을 선별하시어
지금까지 맺은 불평등조약을 엄히 척결하고 국권을 보호하고
국왕의 위업을 되찾으소서.

또 법무부 주사 안병찬*이 도끼를 들고 궐 앞에 엎드려 상소했어.
전하!
통감이 설치되어 군신과 백성들이 장차 모두 포로가 되어 잡힌 짐승이나 생선처럼 비참하게 되었는데도
나라가 망하지 않았다고 할 수 있습니까?

*안병찬 1854~1921.

그 말 한마디 한마디가 얼마나 격렬하였던지 일본 형사들이 그를 체포하여
놔라 이놈들아!
장지연 등과 함께 경찰서로 구인한 후 70여 일이 지나 석방했어.
원로대신 조병세**는 문무백관들과 황제를 알현하길 청하다가 궁 밖으로 쫓겨났어.

**조병세 1827~1905.

일본헌병은 원로대신인 조병세를 정동주재소에 구금해 버렸어.
당장 이 문을 열지 못할까!
문무백관들은 여기서 그치지 않고 궁궐 밖에서 민영환을 주축으로 상소를 올렸어.
전하!
그러자 일본 공사가 법부를 위협해 징벌을 하게 했고
하야시
저들을 체포하시오!
이로 인해 고종황제는 구속 처벌하라는 명령을 내렸어.
맘대로 하시오!
민영환은 평리원에서 처벌을 기다리다가 석방되자
집에 가시오.

다시 백포점시민공회소라는 곳에서 상소를 올리기로 했어.
계속 상소를 올리리라….
그러나 민영환은 다시 상소를 올리기 전에 죽음을 선택했어.
하인에게 세숫물을 가져오라고 한 뒤 방문을 잠그고
세숫물 좀 가져 오너라.
단도로 배를 찔렀지만 칼이 짧아 깊이 들어가지 않자
윽….
다시 목과 복부를 난자하여 유혈이 가득한 채 절명했어.
가슴 절절한 유서들을 남겨놓고 말이야.
유서
유서 두 통이 민영환의 소매에서 나왔는데
한 통은 국민에게 보내는 고별사로 자주독립을 찾아 달라는 내용이었고
영환은 죽음으로 황제폐하의 은총에 보답하고 이천만 동포에게 사죄하노니 영환은 죽어도 죽지 않을 것이며 구천에서 여러분을 기필코 도울 것이니 힘을 합하여 자주독립을 다시 찾아준다면 죽은 자들도 황천에서 기뻐하리라.
다른 한 통은 우리의 자유와 독립을 도와 달라는 각국 공사에게 보내는 글이었어.
유서
조병세는 정동 주재소에 구금되었다가 석방되어
다시 상소를 올리려 할 때 민영환의 자결소식을 들었어.
뭣이야?

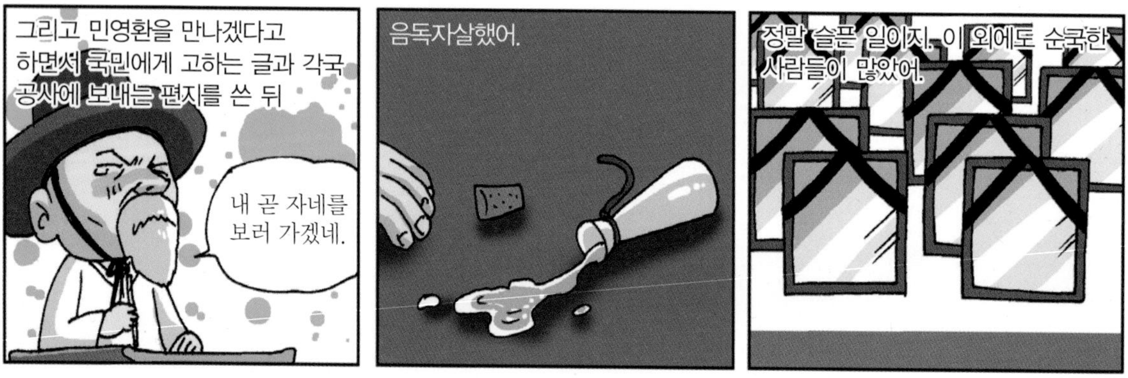
그리고 민영환을 만나겠다고 하면서 국민에게 고하는 글과 각국 공사에 보내는 편지를 쓴 뒤
내 곧 자네를 보러 가겠네.
음독자살했어.
정말 슬픈 일이지. 이 외에도 순국한 사람들이 많았어.

참판 홍만식*, 학부 주사 이상철 등도 음독자살했어.
송병선**도 약을 먹고 자결했어.
송병선은 벼슬을 하지 않고 유림에서 글을 읽던 선비야.
유생이라고도 하지.

*홍만식 1842~1905.

**송병선 1836~1905.

송병선은 오랜 수양으로 체력이 강해 독약이 듣지 않자
?
약을 세 번이나 먹고 자결했어.
이제야 약효가 오는군.
그도 죽으면서 유소*, 국민에게 알리는 글, 시서사동지서 등을 남겼어.
遺疏
告國民書
示書社同志

*유소 – 유생들이 연명하여 올리던 상소.

순국한 사람 중에 찬정 최익현***도 있었어.
학문이 높고 품행이 강직하기로 명성이 높았지.
대원군이 물러나야 한다고 상소를 올린 적도 있었지.
대원군은 물러나야
직언을 하는 최익현은 귀양을 많이 간 것으로도 유명해.
또 가는군….

***최익현(1833~1906) – 구한말의 문신, 학자, 애국지사.

이 시기에도 벼슬에서 쫓겨나 고향 정산에 머물고 있었어.
가만히 있을 수 없었던 최익현은 전국에 격문을 띄워 의병을 모집했어.
뜨거운 가슴이 있는 자 의병으로 일어나라
제자들과 무기를 구입하고 의병을 모집하는 것을 일본이 알아채고
군대를 보내 포위한 뒤 함부로 총을 쏘았어.
결국 제자 열 명과 함께 체포되어 대마도로 압송되었어. 일본 땅에서도 최익현은 당당한 기백을 잃지 않았어.
음식을 아무것도 먹지 않고 죽음을 선택했던 거야.
이날 오색 무지개가 하늘에 떴는데 일본 사람들도 의인이라 하며 시문을 지어 조상했다고 해.
진정 의인이로다!
그리고 "최익현이 사망했으니 이제 남아 있는 한국 유림들은 우리가 꺼려할 사람이 없다." 고 했어.
한국에 의인이 없으니 두려울 것이 없다!
이완용(의인아님)
그리고 양반만 순국한 것은 아니야.
병졸 김봉학도 민영환의 순국소식을 듣고
국가의 녹을 먹는 신하가 당연하지!

나는 미천한 병졸에 지나지 않지만 군인으로서 나랏일에 생명을 바치지 못하고 구차하게 목숨을 구걸하는 것은 오히려 치욕이다.
라며 음독자살했어.
농부 김태근은 이토가 타고 가던 기차에 돌을 던져
이 도적놈아!
깡!
곤장 100대를 맞았다고 해.
팡
악!
순국의 물결이 이어질 때 상소도 끊임없이 이어졌어.
평양 유생 최재학, 김인집, 신상교, 전석준 등이 혈서로 '사수독립'이라는 네 글자를 써서 전국에 격문을 보냈어.
死守獨立
死守獨立
그리고 다시 대궐 앞에 엎드려 상소하자
전하!
일본 헌병과 순경이 1개 소대를 보내 마구 찌르고 체포했어.
으악!
모두가 중상을 당해도 굴하지 않고 대한독립만세를 외쳤어.
대한독립만세!
결국 유생들은 경무청에 70여 일이나 구금되었어.
또 우리나라는 독립협회 때부터 '만민공동회' 같은 집회활동이 있었잖아.
독립협회는 해체되었지만 시민에게 알리는 여론활동은 있었어.

기독교인 김하원, 이기범 등이 종로에서 연설하기도 했어.
국권을 사수해야 합니다!
옳소!
일본은 군인과 순경을 보내 총검을 휘두르며 방해했어.
해산해!
군중들이 돌을 던지며 저항했지만
일본군은 총을 쏘고 수백 명을 구속했어.
이때 사람들은 당연히 을사 5적에 분노를 갖고 있었어.
이완용!
을사 도적놈들….
부르르
을사 5적을 살해하려는 시도가 있었지만
결국 체포되었어.
을사 5적은 이토가 보호해 주고 있었어.
이완용
을사 5적을 보면 사람이 바르게 사는 것이 얼마나 중요한지 알 수 있을 거야.
저 죽여도 시원찮을 매국노들!
참정대신의 말처럼 결국 나라를 빼앗기더라도 스스로 포기하지 말았어야 했어.
의롭지 못한 인간들.
참정대신 한규설
그러면 을사 5적이 아니라 을사 5의인으로 후세에 알려졌을 텐데.
한규설
이하영
이완용
권중현

을사조약과 을사5적

1. 을사조약은 성립되지 않았다

일본은 1905년 11월 18일 을사조약을 체결하고 대한제국의 외교권을 빼앗았다고 했지? 하지만 대한제국이 외교권을 박탈당하는 을사조약은 성립되지 않은 조약이야. 조약이 성립되기 위해서는 위임, 조인, 비준이라는 3단계를 거쳐야 하는데 을사조약은 이중 어느 하나도 거치지 않았어.

당시 조약체결을 위해 특파대사로 한국에 온 이토 히로부미는 군대를 앞세워 한국 외부대신 박제순의 관인을 훔쳐 조약문에 날인하게 했다고 했지. 물론 조약체결 당사자인 대한제국 외부대신 박제순에게는 황제가 박제순에게 위임하지 않았기 때문에 위임장이 없었던 거야. 그리고 대한제국 정부의 도장도 찍지 않았으니까 조인되었다고도 할 수 없어. 가장 중요한 것이 비준인데 비준은 황제가 조약을 인정한다는 서명을 말하는 거야. 고종황제는 끝까지 을사조약을 거부해서 인정하지 않았어. 그러니까 을사조약은 성립되지 않은 거야. 그래서 을사조약이 아니라 을사늑약이 맞는 표현이지.

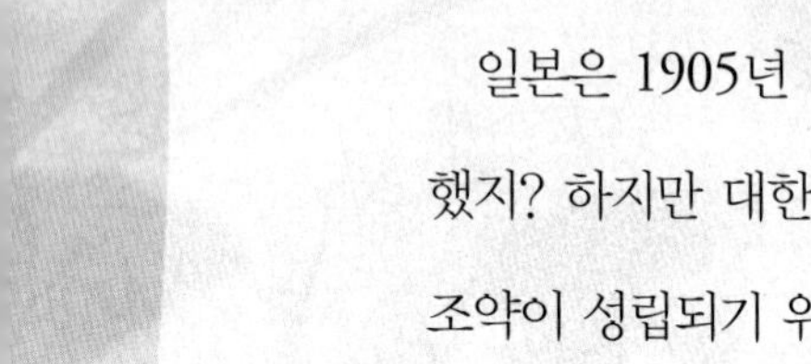

고종황제는 여러 차례에 걸쳐 조약체결은 자신의 의지가 아니며 일본에 의해 강요된 것임을 알리려는 노력을 했어. 조약체결 4일 후 고종은 미국인 헐버트(1863~1949)와 주불 한국공사 민영찬을 미국에 보내서 을사조약의 무효를 알렸어. 그렇지만 미국은 이 밀서가 정식절차를 밟지 않은 것이라며 접수를 거부하고 오히려 이 사실을 일본 측에 통고해 주었던 거야. 고종황제는 일본과 미국이 밀약(가쓰라 태프트 밀약)을 맺은 것을 몰랐던 거지.

一 一千九百五年十一月十七日日使與朴齊純締約五
條ᄂᆞᆫ 皇帝께셔 初無認許又不親押
二 皇帝께셔ᄂᆞᆫ 此條約을 日本이 擅自頒布ᄒᆞᆷ을
反對
三 皇帝께셔ᄂᆞᆫ 獨立帝權을 一毫도 他國에
讓與ᄒᆞ미 無
四 日本之勒約於外交權도 無據ᄒᆞ고況內治上에
一件事라도 何可認准
五 皇帝께셔ᄂᆞᆫ 統監에 來駐ᄒᆞ믈 無許ᄒᆞ고
皇室權을 一毫도 外人에 擅行을 許ᄒᆞ미
無
六 皇帝께셔ᄂᆞᆫ 世界各大國이 韓國外交를 同爲
保護ᄒᆞ믈 限以五年確定
光武十年一月二十九日

▲
을사조약 체결 직후 작성된 고종황제의 을사조약 무효선언서와 이 국서를 보도한 영국 《트리뷴》지(1906년 12월 1일자)

고종황제의 노력은 계속되었어. 조약이 체결되고 일본의 통감부 설치가 임박해지자 고종황제는 1906년 1월 29일 국서를 만들어 을사조약 무효와 통감 파견 반대를 공식 선언했어. 공식 선언문서는 별도의 제목 없이 고종황제의 주장을 담은 6개 조항으로만 이루어져 있어 작성 당시 다급했던 상황을 보여주고 있어. 다급한 와중에도 인장만은 대한제국에서 외교문서에 사용하던 '대한국새'를 찍어 국가문서임을 분명히 하고 있어. 이 문서는 당시 특파원으로 국내에 파견된 영국 《트리뷴》지 더글러스 스토리 기자에게 전달되었고, 스토리 기자는 이 문서를 《트리뷴》지 1906년 12월 1일자에 보도, 고종이 조약체결에 동의하지 않았다는 사실을 외국에 알렸어.

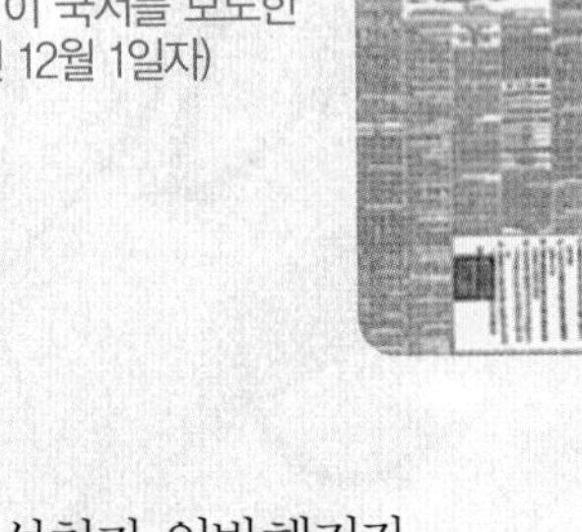

2. 잊지 말자! 을사 5적

▲
외부대신 박제순

외부대신 박제순

말 바꾸기에 일인자였던 박제순이야. 분명히 을사조약에 반대한다고 하고서 이토 앞에서는 이미 단연코 거부하기로 한 일이지만 만약 명령이 있다면 어쩔 수 없다고 했어. 이토는 이 말을 꼬리 잡고 늘어졌고 찬성으로 몰고 갔던 거야. 한일합병 후에는 친일의 대가로 자작이라는 작위를 받았어.

내부대신 이지용

이지용은 고종황제의 조카뻘 되는 왕실의 친척이야. 내부대신이 되기 전에 각도 관찰사와 주일공사를 역임했는데 그때마다 부정부패에 연루되었던 인물이야. 한일의정서를 체결했던 인물이고 말이야. 왕실의 친척으로 나라를 팔아넘기는 데 앞장섰던 무능한 인물이야. 한일합병 후에는 친일의 대가로 일본 정부가 백작이라는 작위를 주었어.

▲
군부대신 이근택

군부대신 이근택

처세술의 달인이라고 할 수 있어. 원래 충주의 이름 없는 무인 가문 출신으로 학식도 별로 없었어. 그런데 임오군란 때 명성황후가 충주로 피신오자 매일 신선한 생선을 갖다 바치면서 출세의 끈을 잡았다고 해. 고종황제가 친러정책을 할 때는 열렬한 친러주의자로 행세했고, 러일전쟁이 일본의 승리로 기울자 이토 히로부미의 양자가 되고 친일파가 되었어. 그리고 우리 정부의 모든 기밀사항을 일본에게 낱낱이 보고했던 거야. 국권피탈 후에는 친일의 대가로 자작이라는 작위를 받았어.

학부대신 이완용

최고의 지식인이었던 이완용은 철저한 친일의 길을 선택한 인물이야. 을사조약 당시에도 을사조약이 대세이며 우리는 일본을 막을 힘이 없기 때문에 일본의 요구를 들어주어야 한다고 주장했던 인물이야. 최고의 지식인이 애국자가 되는 것이 아니라 오히려 나라를 팔아먹는 데 앞장설 수 있다는 것을 보여준 인물이야. 이완용은 헤이그 특사파견을 빌미로 고종을 퇴위시키는 데 앞장섰고, 한일합병도 이끌어내서 경술 7적에도 이름을 남긴 인물이야. 이런 화려한 친일업적으로 국권피탈 후에는 백작이라는 작위를 받았어.

▲ 학부대신 이완용

농상공부대신 권중현

일생을 친일의 길로 살아온 인물이야. 충북 영동 출신으로 일찍부터 일본어를 배워 일본 공사를 지내기도 했어. 러일전쟁 중에는 일본군 위문사의 자격으로 랴오양(요양), 뤼순 등을 순방하기도 했고 국권피탈 후에는 친일의 대가로 자작이라는 작위를 받았어.

▲ 농상공부대신 권중현

제12장 벼랑에서 떨어지다 - 국권피탈
국권

을사보호조약 이후 우리는 점점 더 벼랑 끝으로 몰리고 있었어.
을사조약
아르르~

나라가 이러니 황제도 같은 처지였어.

대궐문은 일본 헌병과 경찰이 지키고
大安門

관리와 환관, 궁녀 들도 출입증이 없으면 드나들 수 없었어.
출입증.

이토는 자신과 결탁한 사람들을 심복으로 심어놓고 황제를 감시했어.
이토 히로부미

송병준을 심복으로 심었고
송병준

비빈들을 자기편으로 만들기도 했어.
다음 황위를 잇게 해주겠다는 달콤한 말로 말이지.
다음 황위는… 빈!
이토의 권위가 얼마나 대단했는지 알 수 있지.
이토는 궁궐도 입장료를 받고 구경하게 만들었어.
고종황제가 수년 동안 경운궁(덕수궁)에 지내면서
大漢門
경복궁과 창덕궁이 비어 있었거든.
궁녀와 관리들 뿐이군. 용돈 좀 벌어볼까?
이렇게 이토는 황제를 감시하고 궁궐을 자기 마음대로 사용했어.
이 정도면 내가 왕이지!
고종
하지만 여기서 끝이 아니야.
끝? 이제부터 시작이야!
이토는 진해만과 영흥만을 일본 군항으로 만들었어.
당시 진해만은 동양 제일의 군항이라 할 수 있고
부산
진해
마산
거제도
영흥만도 동해안 제일의 항구였어.
함흥
영흥만
원산
파주
서울
일본 여론이 보호조약, 통감부 설치나 철도점유보다도
보호조약
통감부
철도점유

더 큰 최대의 성과였다고 보도할 정도로 중요한 항구였어.
최대의 성과를!
진해만 영흥만 일본의 군항
그런데 이토만이 우리 것을 빼앗아간 게 아니야.
나쁜인 줄 알았지?
일본사람들은 앞다투어 우리나라의 국보급 유물을 빼앗아 갔어.
귀한 것 다 실어.
유물과 유적은 나라의 정수이며 조상의 창조능력과 문명의 발전 정도를 나타내는 것이지.
그 때문에 세계의 문화국가들이 유물을 보존하는 거야.
일본이 빼앗아 간 유물은 열거하기도 힘들 만큼 많아.
일본이 빼앗아 간 유물목록
이때 유출된 우리의 문화재는 대부분 아직까지도 돌아오지 않고 있지.
일본은 빼앗아 갈 수 없는 유물은 훼손하기까지 했어.
점점 벼랑으로 몰리고 있는 나라를 보며 고종황제도 가만히 있을 수는 없었지.
한 나라의 황제로서 나는 무엇을 해야 하는가….
고종황제는 조약을 무효로 돌리기 위해 국민들이 저항할 것을 호소하기도 했어.
국민들이여. 함께 뭉칩시다.
뭐야?
순국한 민영환, 조병세에게는

충정이라는 시호를 내리고 정문을 세웠어.
임금도 우리의 마음과 같아.
정문이란 충신, 효자, 열녀 등을 기리는 문이야.
고종황제는 일본의 감시 때문에 적극적으로 일본에 저항할 수 없었어.
그래도 고종황제는 조약이 체결된 것이 아님을 세계에 알리고 도움을 청하면 빛이 보이지 않을까 생각했어.
을사조약
일본
조선
어떻게든 국제사회에 알리고 도움을 받아야 해!
황제의 직인이 없으니….
그래서 1907년 7월 6일 헤이그 만국평화회의에 특사를 파견했어.
만국평화회의는 말이 평화회의지 회의주관자와 참석자 모두 세계열강들이야.
제국주의 열강의 심각한 대립을 완화하기 위해서야!
자기들끼리 모여 나눠 갖기를 하는 자들이 어찌 진실한 평화주의로 약소국을 구제하고 강대국의 횡포를 막고 옳은 길을 가겠는가?
박해받는 약소국은 참가도 못하고 말이야.
박은식의 말대로 고종의 특사로 파견된 이상설, 이준, 이위종은
Welcome
헤이그

일본의 방해로 결국 회의에 참가조차 못했어.
저리 가!
회의장
한국은 일본이 보호하고 있는 나라이며, 게다가 외교권도 없으니 회의에 참여할 수 없다!
가재는 게 편이라고 세계열강들은 일본을 묵인했어.
그 말이 맞아….
그쵸!
결국 헤이그 특사는 회의에 참석하지 못하고 기자회견만 했어.
을사조약은 체결된 것이 아니므로 외교권은 우리에게 있소!
황제가 우리를 파견해 세계에 알리고자 함이니 회의에 참석시켜 주시오!
울분을 참지 못하고 이준은 원통하게 세상을 떠나고
원통하도다!
Oh! God!
윽!
이상설과 이위종은 미국으로 건너갔어.
일본이 활개 치는 우리나라보다 외국에서 독립운동을 하리라.
이 헤이그 특사사건은 일본이 고종황제를 강제로 퇴위시키는 빌미가 되었어.
일본은 고종황제를 눈엣가시처럼 생각하고 있었어.

고종황제가 을미사변으로 인해 속으로는 증오심을 갖고 있다는 것을 일본도 알고 있었어.
분명 이를 갈고 있겠지!
어떤 식으로든 황제의 폐위를 생각하고 있던 일본에게 특사사건은 절호의 기회였던 것이지.
기회는 찬스다!
헤이그 특사!!
결국 고종이 물러나고 새 황제가 즉위했어.
아바마마….
고종황제의 둘째아들 순종이 황제가 되었지.
← 순종
순종은 명성황후가 모친이고 영친왕의 모친은 엄귀비였어.
순종
영친왕
고종이 물러나게 되는 데는 이토의 심복인 일진회 친일파와
일본에 사죄하고 물러 나시지요.
이완용
송병준
비빈들의 역할이 있었어.
받아 먹은 게 있어서.
나라를 빼앗기는 을사조약에 동조한 것도 모자라
두껍아 두껍아 조선 줄게~ 권세 다오~
황제까지 몰아내는 대신들 때문에 백성들은 분노했어.
올바르게 예를 지키며 살아야 하는 신하가
군신 간의 예를 무너뜨리고 황제를 내쫓는 데 앞장서고
君臣 有義

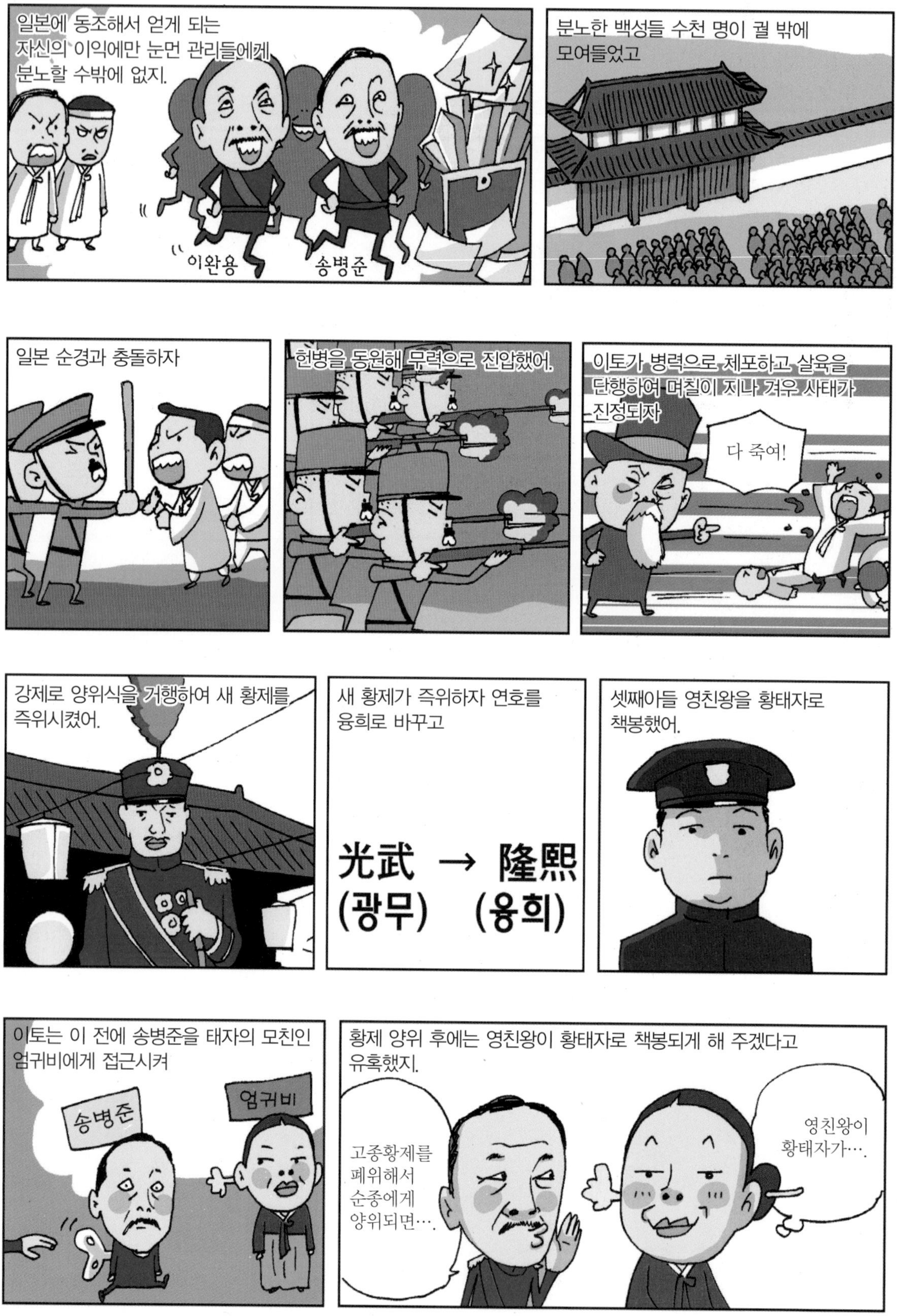
일본에 동조해서 얻게 되는
자신의 이익에만 눈먼 관리들에게
분노할 수밖에 없지.
이완용
송병준
분노한 백성들 수천 명이 궐 밖에
모여들었고
일본 순경과 충돌하자
헌병을 동원해 무력으로 진압했어.
이토가 병력으로 체포하고 살육을
단행하여 며칠이 지나 겨우 사태가
진정되자
다 죽여!
강제로 양위식을 거행하여 새 황제를
즉위시켰어.
새 황제가 즉위하자 연호를
융희로 바꾸고
光武 → 隆熙
(광무) (융희)
셋째아들 영친왕을 황태자로
책봉했어.
이토는 이 전에 송병준을 태자의 모친인
엄귀비에게 접근시켜
송병준
엄귀비
황제 양위 후에는 영친왕이 황태자로 책봉되게 해 주겠다고
유혹했지.
고종황제를
폐위해서
순종에게
양위되면….
영친왕이
황태자가….

엄귀비는 이토의 달콤한 말에 넘어가 궁중에서 일어난 모든 일을 이토에게 밀고해 고종황제의 폐위를 도왔어.
하지만 달콤한 말에 속은 결말은 좋지 않았지.
이토는 황태자를 교육한다는 명분으로 영친왕을 일본으로 데려갔어.
그리고 자신의 사위에게 교육을 전담시키고 돌아왔어.
난 조선을 괴롭히기 바빠.
이것은 인질이지 교육이라고 할 수 없지.
그러다가 영친왕은 1963년이 되어서야 한국으로 돌아왔어.
이토는 새 황제를 창덕궁으로 모시고
殿政仁
고종은 경운궁에 그대로 있게 했어.
門漢大
태황*이 된 고종이 자신들의 행동을 방해할까 봐 새 황제와 떨어뜨려 놓았던 거야.
그리고 한일신협약(정미 7조약)을 체결하여 내정을 확실히 장악했어.
한일신협약 정미7조약
이걸로 내정도 우리 손에!
내정을 어떻게 장악했냐고?
내정
통감의 권한을 강화하고
내가 통감이잖아!
아자!

*태황 – 자리를 물려주고 들어 앉은 황제를 이르던 말.

각부의 대신 밑에 일본인 차관을 임명하게 했어.
일본은 고문정치(한일협약)에서 나아가 통감부(을사보호조약)를 설치했고 이제 차관정치(정미 7조약)로 더욱 자기들 마음대로 할 수 있게 되었어.
좋아!
가는 거야!
한일협약
정미 7조약
을사보호조약
고종황제를 강제로 퇴위시키고
군대를 해산하고
군대가 없으면 나라는 누가 지키냐!
나중에는 사법권과 경찰권마저 빼앗았어.
법도 경찰도 일본이….
법원
일본법인데?..
빼앗을 것에 혈안이 된 일본은 동양척식회사를 만들었어.
동양척식회사는 조선이민을 오려는 일본사람들을 위해 세운 회사로
여기가 일본의 새로운 영토 조선인가!
일본사람들이 우리나라에서 살 수 있게 도와주는 회사야.
소문대로 진짜 몸만 오면 되는군.
일본이 말하는 척식은 황무지를 개간해서 농업생산을 증가한다는 뜻인데
拓 : 넓힐 척
植 : 심을 식
사실은 우리의 토지를 빼앗기 위한 회사야.
저 개떼 같은 것들.
일본이 어떻게 빼앗았는지 알아보자.

일본이 재정을 장악한 이래 물가가 높아져서 살기가 어려워졌어.
쌀 한 말 값이 하루 사이에 두 배가 올라?!!
물가
어쩔 수 없이 척식회사에 돈을 빌리면
싼 이자
빌리는 돈의 몇 배나 되는 토지를 담보로 해야 했어.
10원 담보는 저 땅.
저건 내 전재산 인데….
그리고 채무상환 기일이 지나면 그 즉시 토지를 빼앗았어.
여기 돈!
하루 지났어! 이건 내 땅!
담보
그리고 일본 농민에게 그 경작권을 주었던 거야.
땅 좋스므니다.
백성들은 너무나 살기 힘들었지.
나라를 빼앗기니 땅도 빼앗기는구나!
더 나아가 이토는 일본의 이권을 위해 우리나라 땅도 마음대로 사용했어.
음… 또 뭐가 있을까?
중국(청나라) 남만주에 철도를 부설하려고 우리나라 땅인 간도를 중국에 넘겨준 거야.
간도 줄게, 철도 부설권 줘.
좋아!
간도는 우리 땅이잖아!
간도는 지금도 돌려받지 못하고 있지.
이토가 이렇게 일사천리로 일을 진행할 수 있었던 것은
나의 든든한 협력자들!
친일파가 있었기 때문이야.
아이 좋아~
꺄아~
이완용
송병준
이용구

이렇게 거칠 것 없이 국권을 강탈해 가던 일제를 막아선 것은
이 개떼들아!
바로 의병항쟁이었어.
의 병
분노로 모두가 한마음으로 일어났던 것이 의병항쟁이야.
일본은 대규모 병력을 동원해 의병을 토벌했어. 그래서 의병전쟁이라고도 해.
의병은 각지에서 일어났어. 경기도에선 허위, 울진에서는 신돌석, 호남에서 김준과 전해산, 호서에서는 한치만, 해서에서는 이진용과 한정란, 관동에서는 연기우와 김운선 등이 의병을 이끌며 치열한 전쟁을 했어.
의병 중에는 글을 읽던 선비도 있었고
나라가 있고 내가 있는 법.
뚝
해산된 군인도 있었고
군인이 나라를 못 지키면 죽은 것과 같다.

농부도 있었어.
더 이상 두고 볼 수는 없구먼!
평민출신 의병장 중에서 가장 유명한 사람은 신돌석이야.
태백산 호랑이 신돌석이다!
군인출신 중에는 민긍호가 있었어.
민긍호는 원래 원주 진위대 정교(正校)로 강직하고 기백이 있었어.
민긍호가 이끄는 의병은 원주, 제천, 충주 등지에서 수많은 일본군을 사살했어.
원주
충주
제천
행군의 규율이 엄격해서 민심이 기꺼이 따르고
일본사람도 경탄했어.
여느 의병과는 달라!
충주에서 일본군의 야간 기습으로 민긍호가 죽자
일본인도 그를 존경해 묘지에 '조선의사 민공긍호지묘' 라는 글을 써 넣기도 했어.
조선의사 민공긍호지묘
의병항쟁과 더불어 일본을 막아선 것이 있었어.
의병
애국심을 고취시키는 한국인의 교육활동이었지.
아는 것이 힘이다!

애국지사들이 학교를 세우고
일본의 만행을 잡지와 신문에 논설로 알리면서
신일매한대
논설
민족이 하나가 되는 것을 일본사람들은 두려워했던 거야.
뭉치면 안 되는데….
일본은 많은 잡지와 《황성신문》, 《대한매일신보》 등 신문탄압을 강화하고
황성신문
대한매
혼난다!
학교들도 엄격하게 감독하고, 교과서에도 국가와 민족에 관한 내용은 일체 금지했어.
저런 것 모두 빼!
국가
민족
심지어 교사의 언행과 학생의 행동도 감시했어.
일본은 한일합병 후에는 《황성신문》, 《대한매일신보》, 《서북학회월보》를 비롯한 애국적인 신문과 잡지를 폐간시켰어.
이젠 이런 거 못 만든다!
대한매일신보
서북학
황성신문
《대한매일신보》는 일본이 매수하여 조선총독부 기관지로 썼으니 폐간보다 더 치욕스러웠겠지.
우리가 만들어 키워 온 신문을 선전물로 전락시키다니!
저 저런!
대한매일
대일본 만세!
일본 최고!
양기탁
베셀
역사관련 서적들도 압수하고 금서로 분류했어.
환단고기
사요
한일합병 후에는 학교에 대한 탄압을 더욱 강화했어.

대성학교(신민회, 안창호 설립), 오산학교(이승훈 설립) 등은 폐교 조치되기도 했어.
민족성이 있는 학교는 없애버려!
오산학교는 다시 창건해서 지금의 서울 오산고등학교로 남아 있어.
오산고등학교
우리의 교육을 말살하고
교육
우리 산업을 빼앗고
우리 문화를 빼앗는 것이
일본말 써!
와리바시 스메끼리 짱깸뽀
어떻게 우리의 발전을 위하는 것이란 말이야.
근대화시키고 발전시켰잖아!
저, 쳐죽일!
국권도 없고 산업도 없이 부강과 행복이 있을 수 있단 말인가?
너희들이 그렇게 한번 살아 봐.
전쟁하려고 개가죽까지 벗겨간 주제에
더불어 일본이 우리 백성들에게 했던 잔혹한 일들은 차마 이곳에 따로 옮기기 힘들 정도야.
너무나 참혹한 일들이 많아….
예전에는 우리가 일본에게 선진문화를 알려 주었던 스승의 나라였어.

백제의 왕인*박사는 일본 문화가 발달할 수 있도록 도와준 사람이었지.
일본인 요시다는 문학박사로 조선의 역사를 없앨 것을 창안한 사람이야.
조선 역사왜곡의 필요성
조선의 역사가 존재하면 일본이 조선문화를 받았다는 것이 남게 되니, 조선 역사를 없애버려야 해.
옛날 진시황이 6국을 멸망시키고 그 사적을 없앤 것은 자신을 비방하는 것을 미워한 때문이야.
일본이 조선의 역사를 없애려 하는 것은 조선이 일본을 가르쳤다는 사실이 알려지는 것을 싫어하여 그러는 것이야.
조상의 은혜를 갚지 않으려면 그만이지 과거에 대한 보답을 잊고 복수로써 갚으려는 것인가?
조선은 고대문화에서 일본에 많은 혜택을 주었는데
일본은 현재의 문화로 조선을 학대하니 어찌 그 성질이 이리 상반되고 다를까.
일본에 맞서는 활동으로 의병활동과 교육활동 외에 암살하는 사건들도 있었어.
나라를 빼앗은 주범들인 스티븐스, 이토, 이완용 등을 암살하려는 사건이야.
스티븐스와 이토의 암살은 성공했고

*왕인 – 백제 근초고왕 때의 학자.

이완용은 실패로 끝났지.
난 살았지롱!
먼저 스티븐스 암살사건부터 보자. 스티븐스는 한일협약에 따라 일본이 임명한 외교고문이야.
내가 고문해 줄게!
선진 아메리카인의 말을 들으시오.
한국의 녹을 먹으면서도 일본에게 충성하며 한국을 망하게 한 사람이지.
일본이 임명하고 월급을 우리가 주다니….
난 한국 직원이야. 월급은 한국에서 ….
스티븐스는 이토가 보호조약을 체결할 때 적극적으로 일본의 정책을 찬양하며 도움을 주었어.
이토-
이토-
itto
미국에 가서도 언론에 일본을 찬양했어.
American daily
Japan Good
한국의 왕실은 인민의 재산만을 탈취하고, 국민은 어리석어 독립할 자격이 없다.
또 이토가 한국의 발전을 위해 노력해서 한국인들은 환영하고 있으며 나쁜 감정이 없다.
이 글을 읽은 정재관*은
이… 이런!
American
스티븐스의 숙소로 찾아가 한국을 모욕한 이유를 따졌더니
스티븐스가 이토의 정책을 입에 침이 마르도록 칭찬한 거야.
이토는 너무 잘해! 이토 최고!

*정재관(1880~1930) – 독립운동가.

흥분한 정재관은 의자로 스티븐스를 구타했어.
너도 맞아봐라!
전명운*과 장인환**은 스티븐스 암살을 시도했어.
장인환
전명운
전명운이 오클랜드 역에서 스티븐스를 권총으로 암살하려 했으나 불발이 되었어.
오클랜드
빵!
전명운과 스티븐스가 난투극을 벌이고 있을 때
오클랜드
장인환이 암살을 시도했어.
탕탕
한 발은 전명운이 맞고
다른 한 발은 스티븐스에게 명중했어
전명운과 장인환이 사전에 같이 암살을 결의했던 것은 아니야.
누구?
같은 한국인으로서 우연히 같은 날 결행을 한 거야.
오클랜드 역
전명운과 스티븐스는 병원으로 이송되고
AMBULANCE
장인환은 경찰에 체포되었어.
체포되어서도 당당하게 말했어.
스티븐스가 보호조약을 찬성하고….

*전명운(1884~1947) **장인환(1876~1930)

한국인이 일본 통치를 환영한다는 거짓말을 퍼뜨려 죽이려고 한 것이다.
미국의 각 신문은 이 사실을 보도하면서 한국인의 애국심을 칭찬했어.
TODAY
같은 날 서로 다른 두 명이 조국을 위해 암살을 모의하다
대단한 애국심
중상을 당한 스티븐스는 사망했고
장인환은 애국심에 의한 살인이라 특별감형을 받았어.
15년 형을 구형한다
퇴원한 전명운은 즉시 석방되었어.
내가 죽이지 못한 게 한이다.
한국침략의 핵심인 이토의 암살은 어땠을까?
이토가 침략의 주범임은 다시 이야기할 필요도 없지.
을사조약 강제체결
고종 강제폐위
통감설치
한국인이라면 대부분 이토에 대해 적대감을 품고 있었어.
저 원수를 어떻게….
친일파들
우린 재가 좋더라~
그런 이토가 1909년 10월 만주 시찰에 나섰을 때
유람이야~
말로는 유람이었지만 일본신문에서조차 만주경영을 실시하는 단서가 되고 한국병합의 결실을 볼 거라는 보도를 했어.
일본 신문
이토 만주 시찰
한일합방의

눈 가리고 아웅하던 이토는
유람!
유람!
만주
한국인의 대표인 안중근 의사에게 하얼빈 역에서 총으로 사살당했어.
안중근은 이토뿐 아니라 카와카미 일본 총영사, 모리 비서관, 타나카 철도 총재 세 명도 쏘아 사살했어.
안중근은 애국심뿐 아니라 사격술도 뛰어났어.
후~
안중근은 이토를 사살하기 전에도 나라를 위해 노력했던 사람이야.
평안도 삼화의 진남포에 삼흥학교를 세워 청년들을 교육하기도 했어.
또 의병대장을 하기도 했어.
정미년(1907년)에 이토가 황제를 강제로 퇴위시키고 군대를 해산해서 많은 의병활동이 있을 때
황제퇴위
군대해산
안중근은 러시아 블라디보스토크에서 의병을 모집했어. 동지 열두 명이 손가락을 자르고 혈서로 '대한독립' 네 자를 써서 의병을 모집했는데
립독한대

모인 사람이 300여 명이나 되었어.
이런 독립투사인 안중근은 암살 후에도 도망가지 않았어.
대한독립만세! 대한독립만세!
'대한독립만세'를 한국어와 러시아어로 세 번씩 외치고 큰 소리로 웃으면서 체포되었어.
하 하 하 하 하
일본 관헌에게 인도된 안중근은 뤼순감옥에 수감되었어.
감옥으로 일본인 사카이, 소노키 두 명이 찾아와서
1
2
유혹했어.
만일 오해였다고 자백하면 특별히 관대한 처분을 내려주겠다.
안중근은 당당히 거절했어.
구차하게 살 생각을 했다면 왜 그런 일을 했겠는가?
공판에서도 당당한 태도를 잃지 않았어.
살인자! 테러리스트!
이토가 왕비살해, 황제폐위의 대죄를 범했기에 살해했다고 말하면서 살해 이유 열다섯 가지를 조목조목 이야기했어.
국모를 시해하고 황제를 폐위하고….

결국 사형을 선고받고 1910년(경술년)
3월 10일 오전 열 시에 형장에 섰어.
나는 대한독립을 위해 죽는 것이며, 동양평화를 위해 죽는 것인데 어찌 유감스럽겠나?
독립을 위해 살다가 당당하게 죽음을 맞이한 안중근의 이때 나이가 32세였어.
안중근은 두 동생 정근, 공근에게 유언을 남겼어.
유언에는 나라를 사랑하는 마음이 가득 담겨 있지.
"내가 죽거든 나의 유골을 하얼빈 공원에 묻었다가 조국이 독립을 되찾으면 고향 땅에 묻어 달라.
나는 천국에 가도 우리나라의 독립을 위해 힘을 다할 것이다." – 중략
이토가 죽고 소네가 도쿄에서 병사하자 육군대신 데라우치*가 후임통감이 되었어.
이 무렵 합병된다는 말이 신문에 보도되고
이 무슨 말인가?
한일합병 가능성
친일단체 '일진회'가 〈합병만이 살 길〉이라고 선언서를 발표했어.
원조보수

*데라우치 마사타케(1852~1919)

또 일진회는 자신들의 기관지인 《국민신보》에 온갖 친일적 망발을 마구 했어.
합병이 최선 우리의 우방
국민 신보
일본의 신민이 되자!
사람들의 불안은 고조되고 있었어.
이재명*과 김정익은
매국행위의 대표인물인 이완용과 이용구의 살해를 계획했어.
먼저 이재명이 명동성당에서 벨기에 황제 추도식에 참석하려고 인력거를 타고 온 이완용을 칼로 습격했어.
인력거꾼이 방해하는 바람에 인력거꾼이 죽고 이완용은 허리와 등에 중상을 입었어.
매국노 살려!
그리고 일본 순사에게 체포되고 말았어.
그래서 김정익은 이용구의 암살을 시도도 못하고 체포됐어.
너도 수상해!
아쉽게도 이완용은 살아서 수개월 만에 퇴원했어.
어떻게 얻은 부와 권력인데! 죽지 않아!
나라팔아 얻었지
이재명은 살인죄로 교수형에 처해지고
죽이지 못하고 가는 것이 원통하다.
김정익은 살인음모죄로 종신형에 처해지고 말아.
그 괴수를 죽였어야 하는데!

*이재명(1890~1910)

살아서 돌아온 이완용이 한 일은
조상님 얼굴 보고 왔다!
한일합병을 체결한 일이야.
한일합병
쾅
친일파, 매국노….
저… 조상 대대로 먹칠하고 욕먹을 놈.
이런 이야기를 할 때 이완용을 대표로 거론하는 이유를 알겠지?
내가 최고!
매국노 = 이완용
황실의 외척인 윤덕영이 황제와 황후에게
이완용 일당과 데라우치 통감이 만든 합방조서에 옥새를 찍으라고 했어.
고민 말고 찍으라니까요.
외척 윤덕영
황제는 비통에 잠겨 허락하지 않았지만
찍을 수 없네!
울고 있는 황후에게 옥새를 찍지 않으면 멸족의 화를 당한다고 위협했지.
안 찍으면 우리 가문을 모두 죽인대요.
억지로 옥새를 찍었던 거야.
이렇게 억지로 한일합병 조약이 체결되었어.
억지로 체결한 것이니 한일합병늑약(勒約)* 이 맞아.
한일합병으로 우리 민족은 주권도 없고 일제의 완전한 노예상태로 떨어진 거야.
주권
노예
일본은 바로 조선총독부를 설치하고

*늑약 – 억지로 맺은 조약.

초대총독은 통감이었던 데라우치가 되었어.
통감에서 총독으로 승진했다.
단순히 명칭만 바뀐 게 아냐.
통감부 → 총독부
통 감 → 총 독
총독의 지위는 엄청나서 일본에서도 총독에게 명령을 내릴 수 있는 자는 일본국왕뿐이야.
2인자!
일본국왕
1인자
그러니 한반도 내에서 그에게 대적할 자는 아무도 없었어.
여기선 내가 왕이다!
1910년 8월 29일
이 날을 잊어서는 안 돼!
한일합병이 공포되자 사람들은 통곡했어.
으아아
너무 애통해 한 나머지 순국한 사람도 많았어.
금산 군수 홍범식, 러시아 공사 이범진, 승지 이만도, 진사 황현, 환관 반학영 등
홍범식의묘
이범진
수도 없이 많은 사람이 순국했어.
홍범식은 1910년(경술년)에 바로 순국을 결심했는데 어머니가 말리자
늙은 어미 두고 가지 마라!
뜻을 잠시 접고 있던 그는
어머니가 돌아가시자(1914년 11월) 바로 영해 관어대로 가서 바다에 몸을 던졌어.
텀벙

그는 아들에게
내 시체를 건지지 마라. 건지면 불효니라.
라는 말을 남겨 그의 후손은 지금도 바닷고기를 먹지 않는다고 해.
동태찌개 싫어해?
나라를 빼앗겨 순국하는 아픔 속에서 정부 고위관리 대부분은 친일파로 귀족의 작위를 받았어.
귀족
관리들이 앞장서서 매국행위를 하고 있었지.
한자리 해야지!
한일합병에 앞장섰던 고위관리 일곱을 '경술 7적'이라고 해.
이완용
조중응
송병준
이제곤
이병무
고영희
임선준
작위를 받은 사람들 중에는 박영효도 있었어.
갑신정변 후 10년의 망명생활 끝에 1894년에 귀국하여
나 안 죽었다.
제2차 갑오개혁을 주도했다가 역모로 다시 망명했던 것 기억하지?
죽기 전에 도망!
특별사면을 받고 1907년(정미년) 6월에 귀국해서 궁내대신으로 임명되어
다시 기회를 주지.
임명장
고종황제 퇴위가 거론될 때 이완용 일당에 저항하기도 했어.
난 반대요!
일본과 손잡은 이완용 일당이 고종황제의 퇴위를 준비할 때
완용
고종퇴위

박영효가 도장을 감추고 서류인계를 거부하고
어디에 숨겼어!
궁내부 관리들에게 준비를 태만히 하도록 지시해 일이 늦어지도록 했지.
일하지 마!
이 일로 고종황제가 강제로 물러난 뒤 제주도로 1년간 유배를 가기도 했어.
혼저옵서예~
유배 후에는 서울로 돌아오는 것이 금지되어 마산에 머물기도 했어.
서울
마산
그런데 아쉽게도 국권피탈(한일합병)이 되고 나서 변절자가 되었어.
한일합병
일본은 회유책을 쓰며 박영효에게 작위를 준 거야.
그리고 친일파가 된 거지.
진정한 친일파!
나라를 빼앗기는 것을 국권피탈이라고 해.
國權被奪
국권피탈은, 상무* 정신이 보존되지 못하여
尙 (바라다 상) 武 (굳셀 무)
무력이 쇠퇴하게 되어 나라를 빼앗긴 거야.
까불면 때려준다.
기운이 없어서 싸움도 못해….
무력은 총, 포, 칼, 창, 기계 등을 뜻하고
정신은 충성, 믿음, 용감 등을 의미하는 거야.

*상무 – 무예를 중히 여겨 높이 받듦.

무력은 정신에 의해서 사용되는 거야. 그러니 상무정신은 정신과 무력이 같이 가야 하는 거야.
예전에는 문무를 같이 중시했는데 문(文)만 강조하여 무력이 약해진 거야.

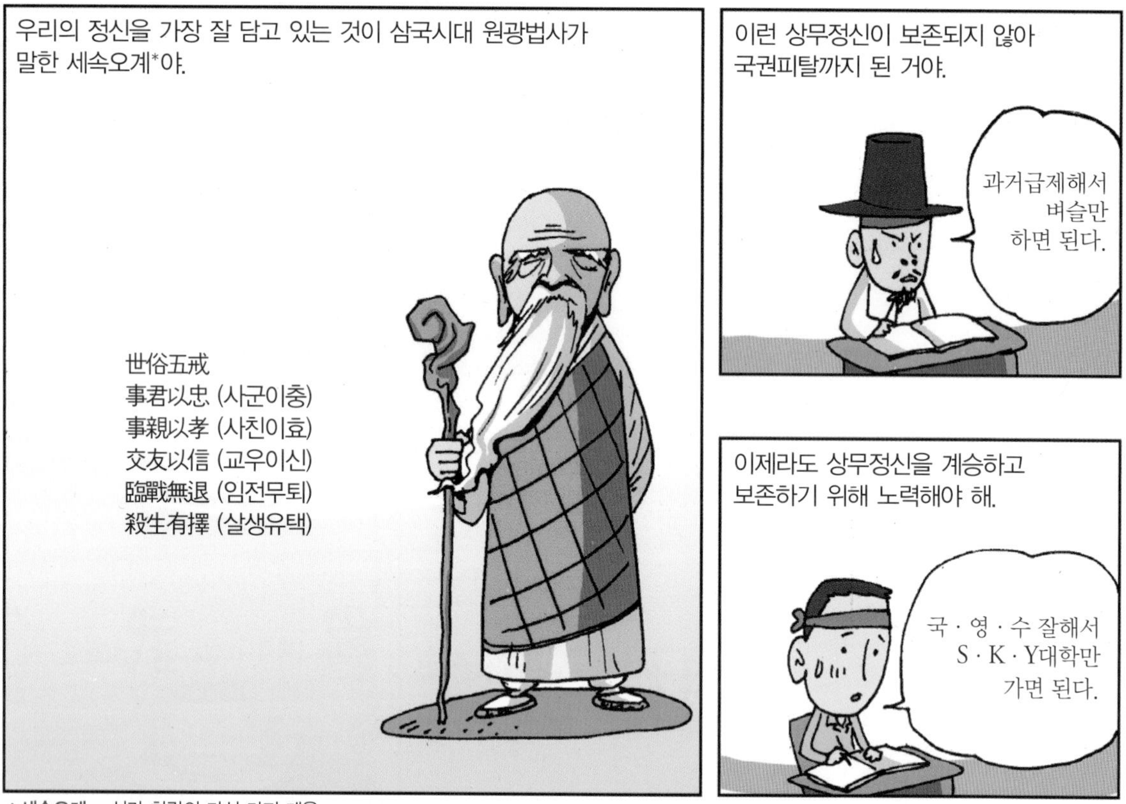
우리의 정신을 가장 잘 담고 있는 것이 삼국시대 원광법사가 말한 세속오계*야.
世俗五戒
事君以忠 (사군이충)
事親以孝 (사친이효)
交友以信 (교우이신)
臨戰無退 (임전무퇴)
殺生有擇 (살생유택)
이런 상무정신이 보존되지 않아 국권피탈까지 된 거야.
과거급제해서 벼슬만 하면 된다.
이제라도 상무정신을 계승하고 보존하기 위해 노력해야 해.
국 · 영 · 수 잘해서 S · K · Y대학만 가면 된다.

＊세속오계 – 신라 화랑의 다섯 가지 계율.

한일합병이 되고 우리가 가만히 있었던 것은 아니야.
앉아서 당하고만 있을 순 없다.
독립을 위해 노력을 하는 애국 단체들이 많이 있었어.
뜻있는 이들이 함께 무언가 해봅시다.
그중에 '신민회'가 일본 눈에 가장 거슬렸어.
신민회
도산 안창호

1910, 1911년에 걸쳐 일본은 신민회가 데라우치를 암살하려 했다며 많은 사람을 투옥했어. 조작된 사건인데 투옥된 사람이 120명이나 됐어.
이 사건을 '105인 사건'이라고 해.
독립운동의 맥을 끊기 위해 조작한 사건이야.
음모로 잡혀온 사람들이 부당을 주장하자,
말도 안 되오!
양기탁
증거가 없던 일본은 가혹한 고문으로 억지 자백을 받아냈어.
으아아~
치이이-
일본은 스스로 문명국이라고 말하며 지독한 고문과 체벌을 했어.
아시아 최고의 문명국이오~
일본은 항상 "우리의 근대화를 앞당겨 행복을 위해 노력했다."고 내세우는데 우리의 모든 것을 강제로 빼앗고 지독한 고문과 형벌로 탄압했어.
조선은 일본이 근대화 시켰다.
21세기
원통해서 땅속에서도 잠들 수 없다.
한일합병이 아니라 105인 사건으로 이야기로 끝내는 것은
이만 끝낼까 합니다.
나라가 벼랑 끝으로 떨어졌어도 포기하지 않고 다시 일어날 노력을 하고 있다는 걸 말하고 싶은 거야.
나라를 빼앗겼던 아픔만이 아니라 우리가 잃었던 것들을 되찾아야 하기 때문이지.
유관순

헤이그 특사

1. 돌아오지 못한 밀사 – 헤이그 특사

을사조약이 무효임을 알리려는 고종황제의 노력은 계속되었어. 그래서 1907년 7월 네덜란드 헤이그에서 열린 만국평화회의에 특사를 파견한 거야. 밀사로 선발된 이준은 한국을 출발하여 러시아에 있었던 이위종과 합류했어. 이상설은 을사조약 이후 북간도에서 서전서숙을 세우고 교육에 힘썼어. 이위종은 을사조약이 체결되기 전 러시아 주재 공사 이범진의 아들이야. 을사조약이 체결된 후 귀국하지 않고 러시아에 있었던 거지.

이위종(1887~?)

이위종은 외국어에 능통해서 통역 자격으로 밀사에 선발되었어. 러시아에서 만국평화회의의 주창자이며 의장국인 러시아 정부의 지지와 후원을 기대했지만 이루지 못했지. 힘들게 네덜란드 헤이그에 도착했지만 조선은 일본의 보호국으로 외교권이 없다고 회의에 참석하지 못했던 거야. 이에 세 특사는 일제의 침략을 폭로 · 규탄하고 을사조약이 무효임을 선언하는 공고사를 작성하여 각

헤이그 특사
▼

국 대표에게 보내고 기자회견을 했어. 이위종이 〈한국을 위하여 호소한다〉는 제목으로 연설하여 국제사회에 큰 충격을 주었단다.

▲
이준 열사 무덤

이준(1859~1907)

이준은 함남 북청 태생이야. 어려서부터 강직하여 불의와 타협할 줄 몰랐다고 해. 독립협회에도 가입해서 활동했고, 1904년에는 보안회를 조직하여 황무지 개척권 요구를 물리치기도 했어. 밀사로 선발된 후 헤이그에서 울분을 참지 못하고 순국한 이준은 헤이그의 공동묘지에 묻혔다가 1963년 유해를 옮겨와 국민장으로 서울특별시 수유리에 안장되었어.

이상설(1870~1917)

이상설은 충북 진천에서 태어났어. 어려서부터 뛰어났던 이상설은 1904년 관직에 올랐지만, 을사조약이 체결되자 관직을 내던지고 구국운동을 전개하였고, 헤이그 특사로 선발된 이후 망명하여 블라디보스토크에 머물고 있었어. 헤이그 특사사건으로 국내에서는 궐석재판이 진행되어 이상설에게는 사형이, 이준과 이위종에게는 종신형이 선고되었지. 이 사건으로 귀국을 단념한 이상설은 영국과 미국을 거쳐 다시 블라디보스토크로 가서 유인석 등과 성명회를 조직하여 독립운동을 벌였어. 한때 일본의 요청을 받은 러시아 관헌에게 붙잡혀 투옥되었다가 석방되기도 했어. 그 이후 이상설은 이동녕등과 권업회를 조직하고, 《권업신문》 등을 발행하여 민중계몽에 힘썼어. 1914년에는 대한광복군정부를 세워 정통령에 취임하고 연해주 지역 독립운동을 지도했지. 1910년대에 가장 유명했던 독립운동가 중의 한 사람이야.

2. 영원히 살아 있는 독립의 정신 – 안중근

안중근(1879~1910)은 1879년 황해도 해주에서 진사 안태훈의 장남으로 태어났어. 어려서부터 글을 배웠는데 오히려 무술에 더 열중했다고 해. 특히 사냥에 재주를 발휘해 명사수로 이름도 날렸지. 1894년 동학농민운동 때에는 아버지를 따라 농민군을 진압하기도 했어. 안중근은 이때 우리나라가 상무교육을 중시하지 않아서 농민군 진압도 어려움을 겪고, 청일전쟁이 일어나는 것을 보고 교육의 중요성을 생각한 거야. 1895년에는 아버지를 따라 가톨릭교에 입교하여 신식 학문을 접하고 가톨릭 신부에게 프랑스어를 배우기도 했어.

▲ 안중근

1904년에 홀로 평양으로 와서 석탄상을 경영하던 중 이듬해 을사조약이 체결되자 상점을 팔아 1906년 그 돈으로 평안도 진남포에 삼흥학교, 돈의학교를 설립하여 인재양성에 힘썼어. 그러던 중 1907년 고종황제를 강제로 퇴위시키는 것을 본 거야. 나라의 운명이 더욱 위태로워져서 합법적인 방법으로는 나라를 바로잡을 수 없다고 판단해서 러시아 블라디보스토크로 망명하여 의병활동을 했어. 두만강 유역에서 혁혁한 전과를 올리기도 했는데 1908년 화령전투에서 처참한 패배를 당한 후 천신만고 끝에 탈출에 성공했지.

1909년 3월 동지 12명과 함께 죽음으로써 구국투쟁을 벌일 것을 손가락을 끊어 맹세하여 단지회라는 비밀결사를 조직하고 이토 암살계획을 세웠어. 그해 10월 침략의 원흉 이토 히로부미('이등박문'이라고 하기도 해.)가 러시아 재무상 코코프체프와 회담하기 위해 만주 하얼빈에 온다는 소식을 듣고 그를 사살할 계획을 실행에 옮겼던 거야. 동지 우덕순과 상의하여 동지 조도선과 통역 유동하와 함께 이강의 후원을 받아 행동에 나섰어. 그리고 마침내 1909년 10월 26일, 일본사람으로 가장해 하얼빈역에 잠입해 침략의 원흉인 이토를 사살하는 데 성공했어. 일본 관헌에게 넘겨져 뤼순의 일본 감옥에 수감되었고 이듬해 2월 재판에서 동지 우덕순 3년, 조도선과 유동하는 각각 1년의 징역을, 안중근은 사형을 선고받았지. 그리고 3월 26일 형이 집행되었단다.

大韓義士安重根公血書
大韓獨立
▲
안중근이 혈서로 쓴 대한독립

한편 안중근의 어머니도 강한 분이어서 뤼순 감옥으로 수의와 함께 구차하게 목숨을 구걸하지 말라는 편지를 보냈다고 해. 안중근의 아버지 안태훈도 신동으로 유명했지. 훌륭한 부모님이 계셨기 때문에 우리 민족의 혼을 보여준 안중근이 있을 수 있었던 거야. 안중근은 글씨에도 뛰어나 감옥에서도 많은 글씨를 썼고, 《동양평화론》을 집필하기도 했어.

안중근이 사형당한 것보다 더 안타까운 것은 유언으로 조국이 광복이 되면 고향 땅에 묻어달라고 했는데 그러지 못하고 있는 점이야. 조국은 광복이 되었지만, 뤼순에서 사형당한 안중근의 유해는 찾지 못하고 있어.

박은식 한국통사

윤민정 글 | 김용회 그림

01 《한국통사》를 쓴 사람은 누구일까요?

① 김구 ② 박은식 ③ 박제가
④ 유성룡 ⑤ 신채호

02 박은식이 《한국통사》에서 주장한 것으로, '국혼(國魂)'에 해당하는 것은 무엇일까요?

① 토지 ② 함선 ③ 역사 ④ 성벽 ⑤ 기계

03 '을사오적'에 해당하는 사람은 누구일까요?

① 서재필 ② 안창호 ③ 장지연
④ 안중근 ⑤ 이완용

04 다음 설명에 해당하는 것으로 흥선대원군이 추진한 일은 무엇일까요?

만일 백성에게 해가 된다면 공자가 만든 제도라도 용납 못할 것인데, 하물며 서원은 백성들에게 해가 되므로 공자에게 죄를 짓는 것이니 어찌 용서받을 수 있겠는가!

① 사창제 실시 ② 군포 개혁 ③ 경복궁 중건
④ 서원 철폐 ⑤ 문벌 타파

05 다음은 《한국통사》에 나오는 갑신정변에 대한 설명입니다. 설명이 틀린 것을 고르세요.

① 갑신정변의 주역인 개화당은 김옥균, 박영효, 홍영식 등이 해당된다.

② 갑신정변이 일어날 당시 민씨 정권은 친청 정책을 추진하고 있었다.

③ 개화당은 청과 연합하여 일본의 예속을 벗어나려 했다.

④ 성급하게 일을 추진하고 행동이 잔혹하여 민심을 얻는 데 실패하였다.

⑤ 갑신정변 직후 청과 일본 사이에 텐진조약이 체결되었다.

06 《한국통사》에 대한 설명입니다. 설명이 틀린 것을 고르세요.

① 민족주의 사관으로 쓰인 책이다.

② 우리나라의 건국부터 3·1운동까지의 역사가 체계적으로 정리되어 있다.

③ 《한국통사》에 속편이라고 할 수 있는 《한국독립운동지혈사》가 있다.

④ 역사 교과서로 사용되기도 했다.

⑤ 《한국통사》의 저자는 임시정부 2대 대통령이었다.

06 ② : 《한국통사》는 전시대를 아우르는 통사(通史)가 아니라 아픔의 역사로 고종임금이 왕위에 오른 직후인 1864년부터 한일합병 직후인 1911년까지가 주요 배경입니다.

07 안중근 / 08 동학 / 09 독립협회

10 국혼은 '국가의 정신'을 의미하며 국가의 종교, 역사, 국어가 국혼에 속합니다.

07 이토 히로부미는 1905년 을사조약을 체결하여 우리나라의 외교권을 박탈하고, 조선통감부 초대 통감으로 부임해 실질적으로 우리나라를 일본의 지배하에 두게 했습니다. 그런 이토 히로부미를 사살한 우리나라 독립운동가는 누구일까요?

______

08 다음은 무엇에 대한 설명일까요?

- 몰락한 양반 출신인 최제우가 창시한 종교
- 유교, 불교, 도교를 혼합한 종교
- 기본 사상은 '사람은 곧 하늘'이라는 인내천 사상

______

09 〈독립신문〉을 발간하고 민중을 계몽하기 위해 노력한 단체는 무엇일까요?

______

정답

01 ② / 02 ③ : 혼은 정신을 뜻하는 말로 종교, 역사, 국어 등이 속합니다. 백은 겉모양, 육체를 뜻하며 토지, 함선, 성벽, 기계 등이 속합니다.

03 ⑤ : 을사조약 체결에 찬성한 이완용, 이근택, 이지용, 박제순, 권중현을 '을사오적'이라고 합니다.

04 ④

05 ③ : 개화당은 일본의 메이지유신을 본받아 근대화를 이루고 일본을 이용하여 내정을 간섭하는 청의 세력을 몰아내고자 했습니다.

10 박은식이 말하는 '국혼(國魂)'이란 무엇일까요? 간단히 설명하세요.

통합교과학습의 기본은 세계사의 이해,

세계대역사 50사건

제대로 알차게 만든 교양 세계사 만화!

우리 집 최고의 종합 인문 교양서!

★서양사와 동양사를 21세기의 균형적 시각에서 다룬 최초의 역사 만화
★세계사의 핵심사건과 대표적 인물을 함께 소개해 세계사의 맥락을 짚어 주는 책
★시시각각 이슈가 되는 세계사 정보를 지식이 되게 하는 재미있는 대중 교양서

1. 파라오와 이집트
2. 마야와 잉카 문명
3. 춘추 전국 시대와 제자백가
4. 로마의 탄생과 포에니 전쟁
5.석가모니와 불교의 발전
6. 그리스 철학의 황금시대
7. 페르시아 전쟁과 그리스의 번영
8. 알렉산드로스 대왕과 헬레니즘
9. 실크 로드와 동서 문명의 교류
10. 진시황제와 중국 통일
11. 카이사르와 로마 제국
12. 로마 제국의 황제들
13. 예수와 기독교의 시작
14. 무함마드와 이슬람 제국
15. 십자군 전쟁
16. 칭기즈 칸과 몽골 제국
17. 르네상스와 휴머니즘
18. 잔 다르크와 백년전쟁
19. 루터와 종교개혁
20. 코페르니쿠스와 과학 혁명
21. 동인도회사와 유럽 제국주의
22. 루이 14세와 절대왕정
23. 청교도 혁명과 명예혁명
24. 미국의 독립전쟁
25. 산업 혁명과 유럽의 근대화
26. 프랑스 대혁명
27. 나폴레옹과 프랑스 제1제정
28. 라틴 아메리카의 독립과 민주화
29. 빅토리아 여왕과 대영제국
30. 마르크스_레닌주의
31. 태평천국운동과 신해혁명
32. 비스마르크와 독일 제국의 흥망성쇠
33. 메이지 유신 일본의 근대화
34. 올림픽의 어제와 오늘
35. 양자역학과 현대과학
36. 아인슈타인과 상대성 원리
37. 간디와 사티아그라하
38. 마오쩌둥과 중국 공산당
39. 대공황 이후 세계 자본주의의 발전
40. 제2차 세계 대전
41. 태평양 전쟁과 경제대국 일본
42. 호찌민과 베트남 전쟁
43. 팔레스타인과 이스라엘의 분쟁
44. 넬슨 만델라와 인권운동
45. 카스트로와 쿠바 혁명
46.아프리카의 독립과 민주화
47. 스푸트니크호와 우주 개발
48. 독일 통일과 소련의 붕괴
49. 유럽 통합의 역사와 미래
50. 신흥대국 중국과 동북공정
★가이드북

김창회 외 글 | 진선규 외 그림 | 232쪽 내외